SOUTHERN ENGLAND
Regional Road Atlas

CONTENTS

Key to Map Pages............ 2-3
Road Maps.......................4-42
Index to Towns and Villages..........43-54
Town Plans, Airport & Port Plans...55-60

REFERENCE

MOTORWAY — M3
Under Construction
Proposed
MOTORWAY JUNCTIONS WITH NUMBERS
Unlimited interchange 4 Limited interchange 5
MOTORWAY SERVICE AREA — ROWNHAMS
with access from one carriageway only
MAJOR ROAD SERVICE AREAS with 24 hour Facilities — WEYHILL
PRIMARY ROUTE — A33
PRIMARY ROUTE DESTINATION — POOLE
DUAL CARRIAGEWAYS (A & B Roads)
CLASS A ROAD — A30
CLASS B ROAD — B2070
MAJOR ROADS UNDER CONSTRUCTION
MAJOR ROADS PROPOSED
GRADIENT 1:5(20%) & STEEPER (Ascent in direction of arrow)
TOLL — TOLL
MILEAGE BETWEEN MARKERS — 8
RAILWAY AND STATION
LEVEL CROSSING AND TUNNEL
RIVER OR CANAL
COUNTY OR UNITARY AUTHORITY BOUNDARY
NATIONAL BOUNDARY
BUILT-UP AREA
VILLAGE OR HAMLET
WOODED AREA
SPOT HEIGHT IN FEET — • 813
HEIGHT ABOVE SEA LEVEL — 400' - 1,000' 122m - 305m; 1,000' - 1,400' 305m - 427m; 1,400' - 2,000' 427m - 610m; 2,000'+ 610m +
NATIONAL GRID REFERENCE (Kilometres) — 100
AREA COVERED BY TOWN PLAN — SEE PAGE 55

TOURIST INFORMATION

AIRPORT
AIRFIELD
HELIPORT
BATTLE SITE AND DATE — 1066
CASTLE (Open to Public)
CASTLE WITH GARDEN (Open to Public)
CATHEDRAL, ABBEY, CHURCH, FRIARY, PRIORY
COUNTRY PARK
FERRY (Vehicular)
(Foot only)
GARDEN (Open to Public)
GOLF COURSE — 9 HOLE — 18 HOLE
HISTORIC BUILDING (Open to Public)
HISTORIC BUILDING WITH GARDEN (Open to Public)
HORSE RACECOURSE
INFORMATION CENTRE
LIGHTHOUSE
MOTOR RACING CIRCUIT
MUSEUM, ART GALLERY
NATIONAL PARK OR FOREST PARK
NATIONAL TRUST PROPERTY (Open) — NT
(Restricted Opening) — NT
NATURE RESERVE OR BIRD SANCTUARY
NATURE TRAIL OR FOREST WALK
PLACE OF INTEREST — Monument •
PICNIC SITE
RAILWAY, STEAM OR NARROW GAUGE
THEME PARK
VIEWPOINT — 360 degrees
180 degrees
WILDLIFE PARK
WINDMILL
ZOO OR SAFARI PARK

SCALE

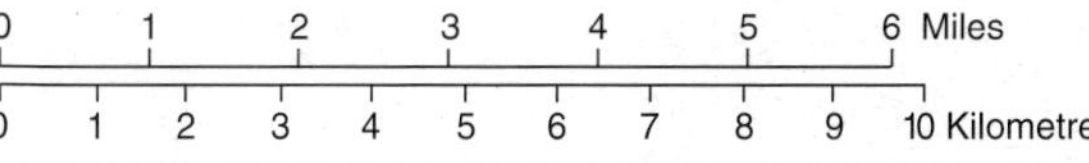

1:158,400
2.5 Miles to 1 Inch

Geographers' A-Z Map Company Ltd
Head Office : (General Enquiries & Trade Sales)
Fairfield Road, Borough Green, Sevenoaks,
Kent TN15 8PP Telephone: 01732 781000
Showrooms : (Retail Sales)
44 Gray's Inn Road, London, WC1X 8HX
Telephone: 020 7440 9500
www.a-zmaps.co.uk

Edition 7 2003

Every possible care has been taken to ensure that, to the best of our knowledge, the information contained in this atlas is accurate at the date of publication. However, we cannot warrant that our work is entirely error free and whilst we would be grateful to learn of any inaccuracies, we do not accept any responsibility for loss or damage resulting from reliance on information contained within this publication.

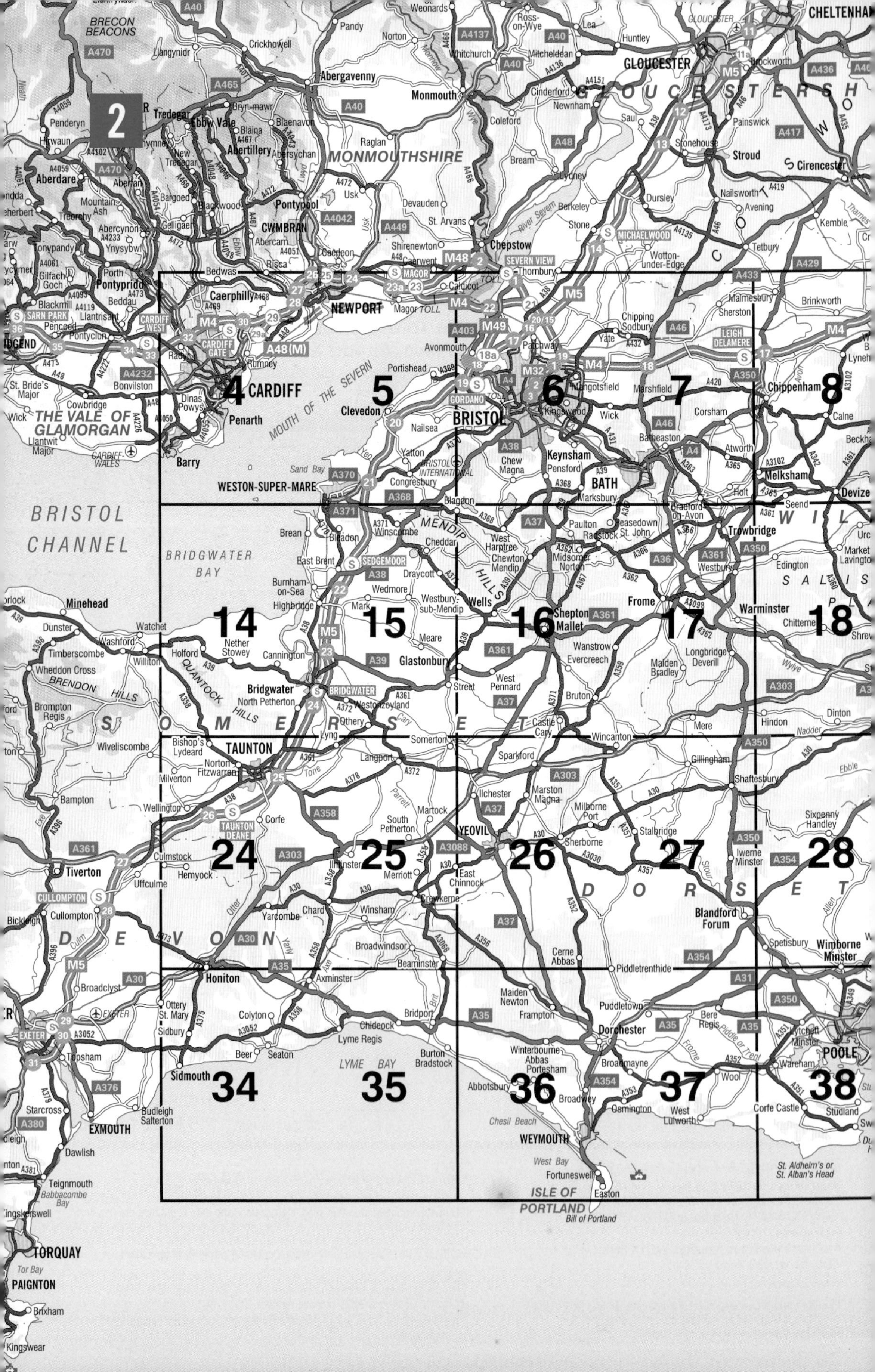

BRECON BEACONS
2
Tredegar
Ebbw Vale
Abergavenny
Monmouth
Ross-on-Wye
GLOUCESTER
CHELTENHAM
MONMOUTHSHIRE
GLOUCESTERSHIRE
Crickhowell
Pandy
Norton
Whitchurch
Mitcheldean
Huntley
Brockworth
Cinderford
Newnham
Coleford
Raglan
Blaenavon
Abertillery
Abersychan
Pontypool
CWMBRAN
Usk
Chepstow
St. Arvans
Devauden
Shirenewton
Caerwent
Caerleon
Lydney
Berkeley
Stone
Stonehouse
Stroud
Painswick
Cirencester
Nailsworth
Avening
Dursley
Tetbury
Kemble
Wotton-under-Edge
MICHAELWOOD
SEVERN VIEW
Thornbury
Aberdare
Hirwaun
Penderyn
Mountain Ash
Abercynon
Ynysybwl
Tonypandy
Treorchy
Porth
Pontypridd
Gilfach Goch
Blackmill
Llantrisant
Beddau
Pencoed
Pontyclun
SARN PARK
BRIDGEND
Caerphilly
Bedwas
Risca
NEWPORT
MAGOR
Magor
Caldicot
CARDIFF WEST
CARDIFF GATE
Rumney
Radyr
CARDIFF
Penarth
Dinas Powys
Barry
St. Bride's Major
Cowbridge
Bonvilston
Wick
THE VALE OF GLAMORGAN
Llantwit Major
CARDIFF WALES
MOUTH OF THE SEVERN
Portishead
Avonmouth
Clevedon
GORDANO
BRISTOL
Nailsea
Yatton
BRISTOL INTERNATIONAL
Congresbury
Sand Bay
WESTON-SUPER-MARE
Chew Magna
Keynsham
Pensford
BATH
Marksbury
Kingswood
Mangotsfield
Patchway
Yate
Chipping Sodbury
Wick
Marshfield
Batheaston
Corsham
Atworth
Melksham
Chippenham
Calne
Malmesbury
Sherston
Brinkworth
LEIGH DELAMERE
Devizes
Seend
Bradford-on-Avon
Holt
Trowbridge
Westbury
Edington
Market Lavington
BRISTOL CHANNEL
BRIDGWATER BAY
Blagdon
Brean
Bleadon
Winscombe
Cheddar
MENDIP HILLS
West Harptree
Chewton Mendip
Paulton
Radstock
Peasedown St. John
Midsomer Norton
East Brent
SEDGEMOOR
Draycott
Burnham-on-Sea
Highbridge
Wedmore
Mark
Westbury-sub-Mendip
Wells
Shepton Mallet
Frome
Warminster
Chitterne
Minehead
Dunster
Watchet
Washford
Williton
Timberscombe
Wheddon Cross
BRENDON HILLS
Holford
Nether Stowey
Cannington
QUANTOCK HILLS
Bridgwater
BRIDGWATER
North Petherton
Westonzoyland
Othery
Lyng
Glastonbury
Meare
Street
West Pennard
Wanstrow
Evercreech
Bruton
Maiden Bradley
Longbridge Deverill
Castle Cary
Wincanton
Mere
Hindon
Dinton
Brompton Regis
Wiveliscombe
SOMERSET
Bishop's Lydeard
TAUNTON
Norton Fitzwarren
Milverton
Bampton
Wellington
TAUNTON DEANE
Corfe
Langport
Somerton
Sparkford
Ilchester
Marston Magna
Gillingham
Shaftesbury
Milborne Port
Stalbridge
Sixpenny Handley
Martock
South Petherton
YEOVIL
Sherborne
Iwerne Minister
Tiverton
Culmstock
Hemyock
Uffculme
CULLOMPTON
Cullompton
Ilminster
Merriott
East Chinnock
Crewkerne
Chard
Winsham
Yarcombe
Bickleigh
DEVON
DORSET
Blandford Forum
Spetisbury
Wimborne Minster
Broadwindsor
Beaminster
Cerne Abbas
Piddletrenthide
Honiton
Axminster
Broadclyst
Ottery St. Mary
EXETER
Sidbury
Colyton
Bridport
Chideock
Lyme Regis
Maiden Newton
Frampton
Puddletown
Dorchester
Bere Regis
Lytchett Minster
POOLE
Wareham
Topsham
Beer
Seaton
Burton Bradstock
Winterbourne Abbas
Portesham
Broadmayne
Wool
Sidmouth
LYME BAY
Abbotsbury
Broadwey
Osmington
West Lulworth
Corfe Castle
Studland
Starcross
Budleigh Salterton
EXMOUTH
Chesil Beach
WEYMOUTH
West Bay
Fortuneswell
Easton
ISLE OF PORTLAND
Bill of Portland
St. Aldhelm's or St. Alban's Head
Dawlish
Teignmouth
Babbacombe Bay
Kingskerswell
TORQUAY
Tor Bay
PAIGNTON
Brixham
Kingswear
4
5
6
7
8
14
15
16
17
18
24
25
26
27
28
34
35
36
37
38
M4
M5
M32
M48
M49
A48(M)

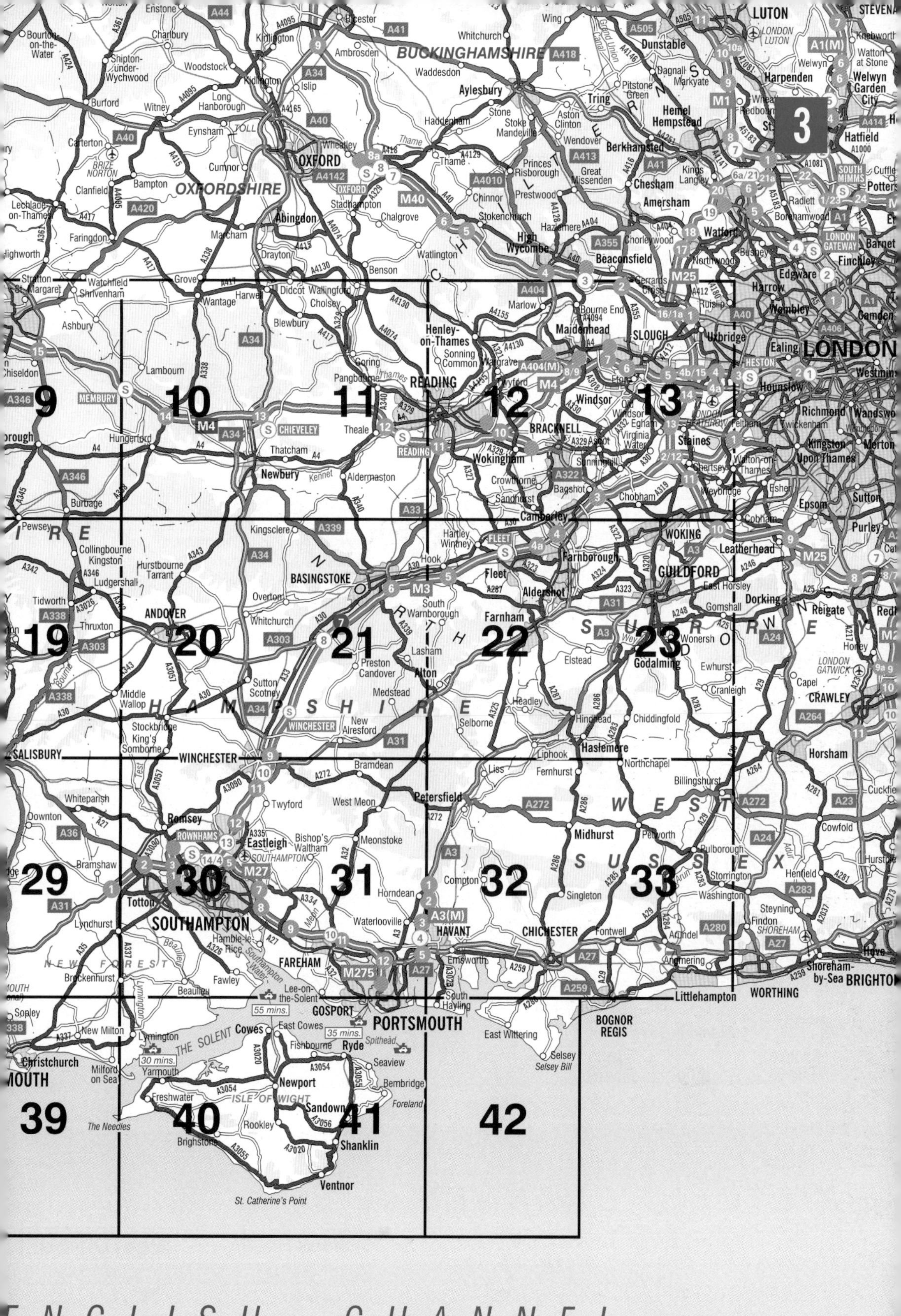

ENGLISH CHANNEL

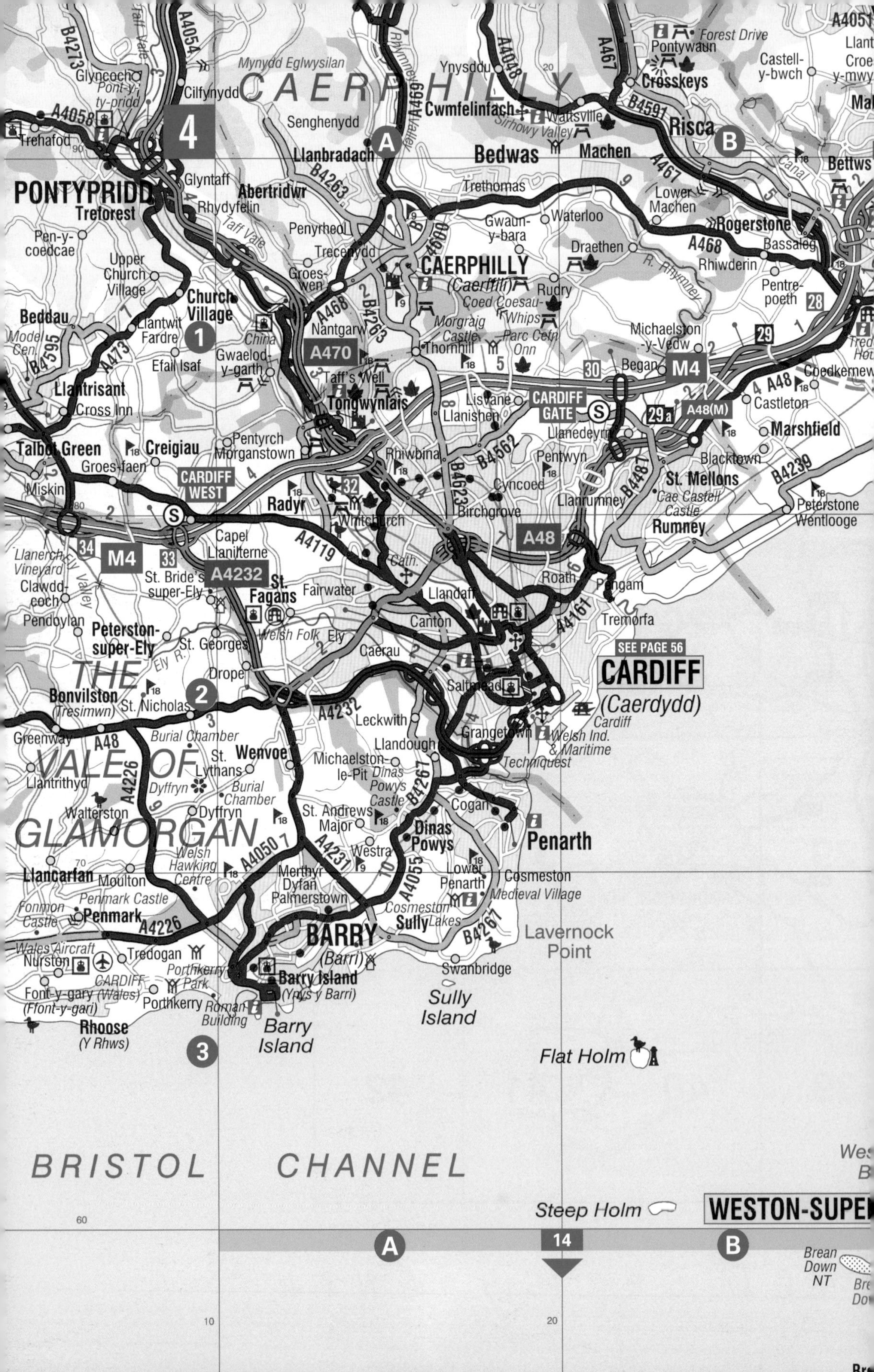

CAERPHILLY
PONTYPRIDD
Treforest
CAERPHILLY
(Caerffili)
CARDIFF
(Caerdydd)
SEE PAGE 56
BARRY
(Barri)
Barry Island
(Ynys y Barri)
Penarth
THE VALE OF GLAMORGAN
BRISTOL CHANNEL
Sully Island
Flat Holm
Steep Holm
Lavernock Point
WESTON-SUPE
Risca
Bedwas
Machen
Llanbradach
Senghenydd
Cwmfelinfach
Crosskeys
Pontywaun
Forest Drive
Rogerstone
Bassaleg
Church Village
Beddau
Llantrisant
Talbot Green
Creigiau
Radyr
Tongwynlais
Taff's Well
Nantgarw
Abertridwr
Glyntaff
Rhydyfelin
Cilfynydd
Glyncoch
Trehafod
Llanishen
Lisvane
Rhiwbina
Whitchurch
Llandaff
Canton
Fairwater
Caerau
Ely
Roath
Pengam
Tremorfa
Rumney
St. Mellons
Marshfield
Castleton
Peterstone Wentlooge
Llanrumney
Llanedeyrn
Pentwyn
Cyncoed
Birchgrove
St. Fagans
Peterston-super-Ely
Bonvilston
(Tresimwn)
St. Nicholas
Wenvoe
Dinas Powys
Sully
Cosmeston
Llancarfan
Penmark
Rhoose
(Y Rhws)
CARDIFF WEST
CARDIFF GATE
M4
A48
A470
A4232
A48(M)
A
B
14
1
2
3
4

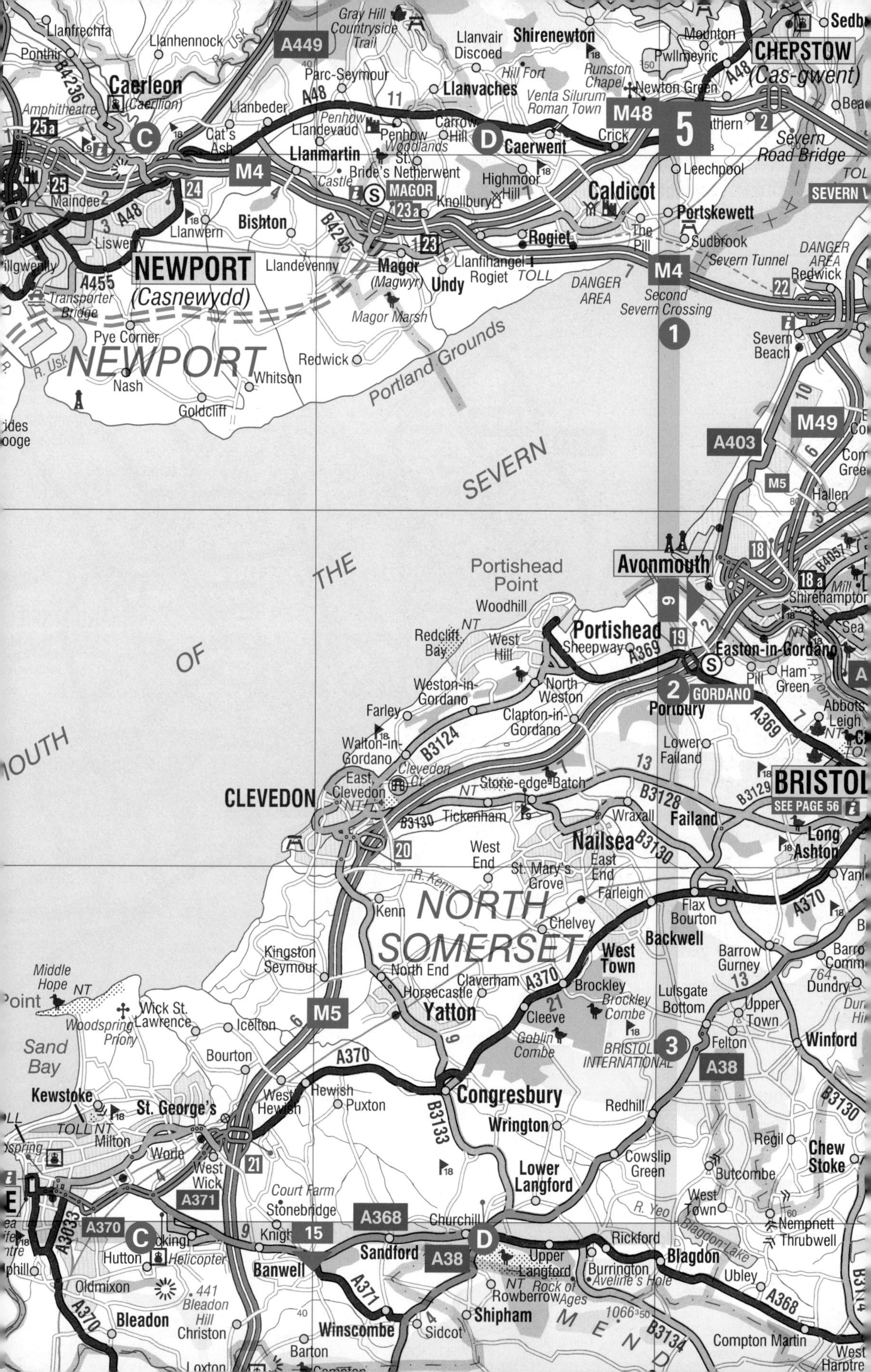

Llanfrechfa
Ponthir
Llanhennock
R. Usk
A449
Gray Hill Countryside Trail
Llanvair Discoed
Shirenewton
Mounton
Pwllmeyric
CHEPSTOW
(Cas-gwent)
B4236
Caerleon
(Caerllion)
Amphitheatre
Parc-Seymour
Llanvaches
Hill Fort
Runston Chapel
Newton Green
A48
Llanbeder
A48
11
Venta Silurum Roman Town
M48
5
25a
C
Cat's Ash
Penhow
Llandevaud
Carrow Hill
D
Caerwent
Crick
Mathern
2
Severn Road Bridge
Penhow Woodlands
Llanmartin
St. Bride's Netherwent
Leechpool
25
Maindee
M4
24
Castle
S
MAGOR
Highmoor Hill
Caldicot
SEVERN
A48
Llanwern
Bishton
B4245
23a
Knollbury
Portskewett
3
Liswerry
23
Rogiet
The Pill
Sudbrook
NEWPORT
(Casnewydd)
Llandevenny
Magor
(Magwyr)
Undy
Llanfihangel Rogiet
TOLL
M4
DANGER AREA
Severn Tunnel
Redwick
Pillgwenlly
A455
Transporter Bridge
Magor Marsh
DANGER AREA
7
Second Severn Crossing
22
Pye Corner
1
Severn Beach
R. Usk
NEWPORT
Redwick
Portland Grounds
Nash
Whitson
Goldcliff
10
M49
A403
SEVERN
M5
Hallen
THE
Portishead Point
Avonmouth
18
18a
Shirehampton
Woodhill
Portishead
19
9
Redcliff Bay
NT
West Hill
Sheepway
A369
Easton-in-Gordano
OF
S
Pill
Ham Green
R. Avon
Weston-in-Gordano
North Weston
2
GORDANO
Portbury
A369
Abbots Leigh
Farley
Clapton-in-Gordano
MOUTH
Walton-in-Gordano
B3124
Lower Failand
13
Clevedon Ct.
East Clevedon
CLEVEDON
NT
Stone-edge-Batch
B3128
B3129
BRISTOL
SEE PAGE 56
B3130
Tickenham
Wraxall
Failand
Nailsea
B3130
Long Ashton
20
West End
East End
R. Kenn
St. Mary's Grove
Farleigh
A370
Kenn
NORTH SOMERSET
Flax Bourton
Chelvey
Backwell
Kingston Seymour
West Town
Barrow Gurney
North End
Claverham
A370
Brockley
Lulsgate Bottom
13
764
Dundry
Middle Hope
NT
Point
Wick St. Lawrence
Horsecastle
Yatton
Cleeve
Brockley Combe
Upper Town
Woodspring Priory
Icelton
6
M5
21
Goblin Combe
BRISTOL INTERNATIONAL
3
Felton
Winford
Sand Bay
Bourton
A370
9
A38
Kewstoke
Hewish
West Hewish
Puxton
Congresbury
B3133
Redhill
B3130
St. George's
Wrington
TOLL
NT
Milton
Worle
West Wick
21
Lower Langford
Cowslip Green
Regil
Chew Stoke
Butcombe
A3033
A371
Court Farm
Stonebridge
R. Yeo
West Town
Blagdon Lake
Nempnett Thrubwell
A370
C
9
15
A368
Churchill
D
Rickford
Blagdon
Hutton
Helicopter
Banwell
Sandford
A38
Upper Langford
Burrington
Ubley
Aveline's Hole
Oldmixon
441 Bleadon Hill
A371
NT
Rock of Ages
A368
Bleadon
Christon
Winscombe
Sidcot
Shipham
1066
MEND
B3134
Compton Martin
A370
Barton
Loxton
West Harptree

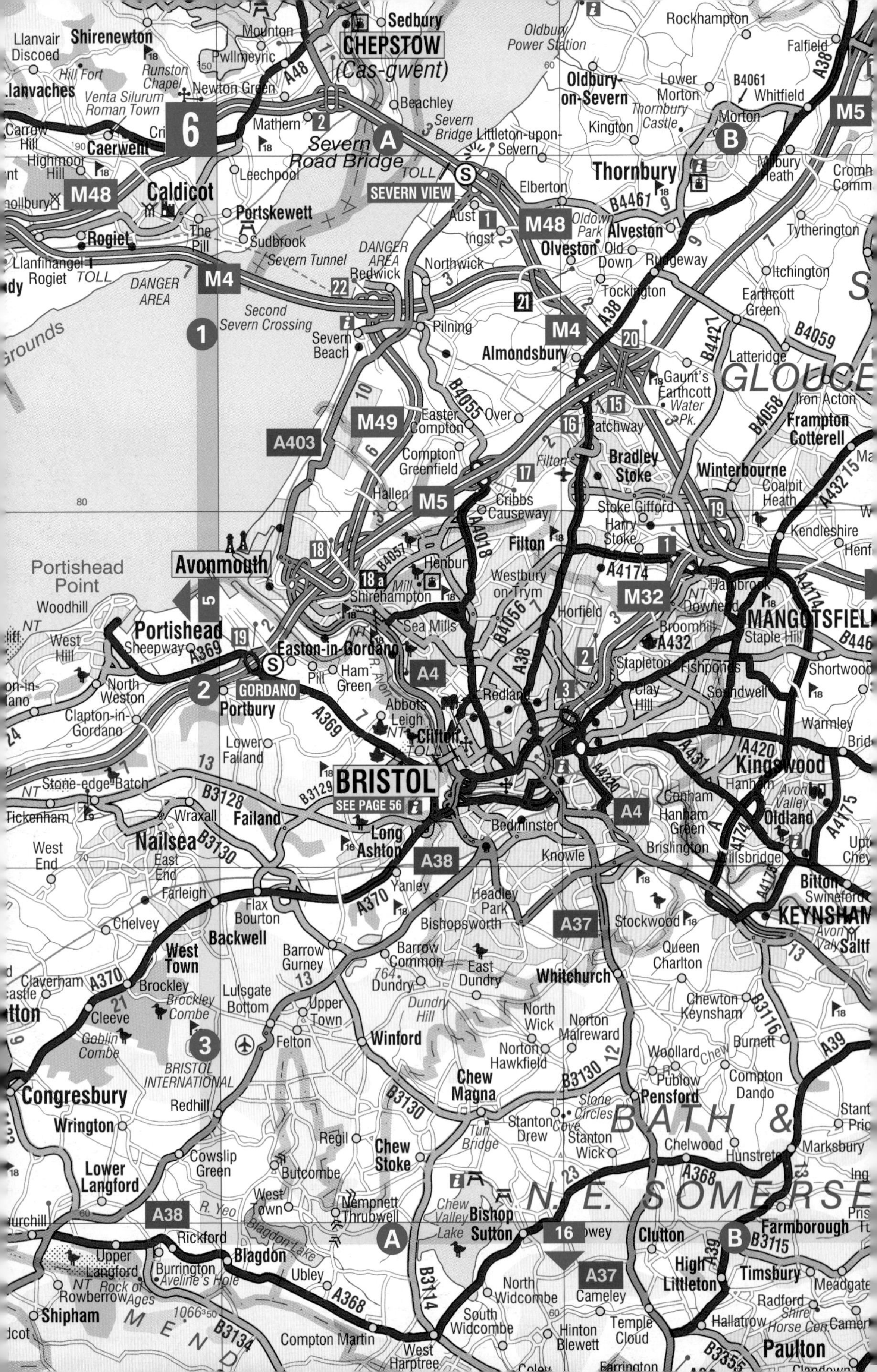

6
Llanvair Discoed
Shirenewton
Mounton
Sedbury
CHEPSTOW
(Cas-gwent)
Oldbury Power Station
Rockhampton
Falfield
Pwllmeyric
Hill Fort
Runston Chapel
Newton Green
Llanvaches
Venta Silurum Roman Town
Beachley
Oldbury-on-Severn
Lower Morton
Thornbury Castle
Whitfield
Morton
Kington
Mathern
Severn Bridge
Littleton-upon-Severn
Severn Road Bridge
TOLL
SEVERN VIEW
Caerwent
Highmoor Hill
Leechpool
Thornbury
Milbury Heath
Elberton
Caldicot
Portskewett
Aust
Ingst
Oldown Park
Alveston
Olveston
Old Down
Rudgeway
Tytherington
Rogiet
The Pill
Sudbrook
Severn Tunnel
DANGER AREA
Redwick
Northwick
Itchington
Llanfihangel Rogiet
Tockington
Earthcott Green
Second Severn Crossing
Pilning
Severn Beach
Almondsbury
Latteridge
Gaunt's Earthcott
Water Pk.
Iron Acton
GLOUCE
Easter Compton
Over
Patchway
Frampton Cotterell
Compton Greenfield
Filton
Bradley Stoke
Winterbourne
Coalpit Heath
Hallen
Cribbs Causeway
Stoke Gifford
Harry Stoke
Kendleshire
Avonmouth
Portishead Point
Henbury
Westbury on Trym
Hambrook
Downend
MANGOTSFIELD
Woodhill
Shirehampton
Horfield
Broomhill
Staple Hill
West Hill
Portishead
Sheepway
Sea Mills
Easton-in-Gordano
Pill
Ham Green
Stapleton
Fishponds
Shortwood
North Weston
GORDANO
Portbury
Abbots Leigh
Redland
Clay Hill
Soundwell
Clapton-in-Gordano
Clifton
Warmley
Lower Failand
Kingswood
Stone-edge Batch
BRISTOL
SEE PAGE 56
Hanham
Avon Valley
Tickenham
Wraxall
Failand
Conham
Hanham Green
Oldland
Nailsea
Long Ashton
Bedminster
Knowle
Brislington
Willsbridge
West End
East End
Bitton
Swineford
Farleigh
Yanley
Headley Park
KEYNSHAM
Flax Bourton
Bishopsworth
Stockwood
Chelvey
Backwell
Barrow Gurney
Barrow Common
East Dundry
Queen Charlton
West Town
Dundry
Whitchurch
Claverham
Brockley
Lulsgate Bottom
Upper Town
Dundry Hill
Chewton Keynsham
Cleeve
Brockley Combe
North Wick
Norton Malreward
Burnett
Goblin Combe
Felton
Winford
Norton Hawkfield
Woollard
Publow
Compton Dando
BRISTOL INTERNATIONAL
Congresbury
Chew Magna
Pensford
Redhill
Stone Circles
Stanton Drew
Wrington
BATH &
N.E. SOMERSET
Regil
Chew Stoke
Tun Bridge
Stanton Wick
Chelwood
Hunstrete
Marksbury
Cowslip Green
Lower Langford
Butcombe
West Town
Nempnett Thrubwell
Chew Valley Lake
Bishop Sutton
Clutton
Farmborough
R. Yeo
Blagdon Lake
Rickford
Blagdon
High Littleton
Timsbury
Upper Langford
Burrington
Aveline's Hole
Ubley
North Widcombe
Cameley
Rowberrow
Rock of Ages
Radford
Shire Horse Cen.
Shipham
South Widcombe
Temple Cloud
Hallatrow
Compton Martin
Hinton Blewett
Paulton
West Harptree
Farrington
MEND
M48
M4
M5
M49
M32
A48
A38
A403
A4018
A4174
A432
A369
A4
A370
A38
A37
A4320
A420
A431
A4175
A368
A39
B4061
B4461
B4427
B4059
B4058
B4055
B4057
B4056
B3128
B3129
B3130
B3114
B3134
B3116
B3115
Avon
Chew
16

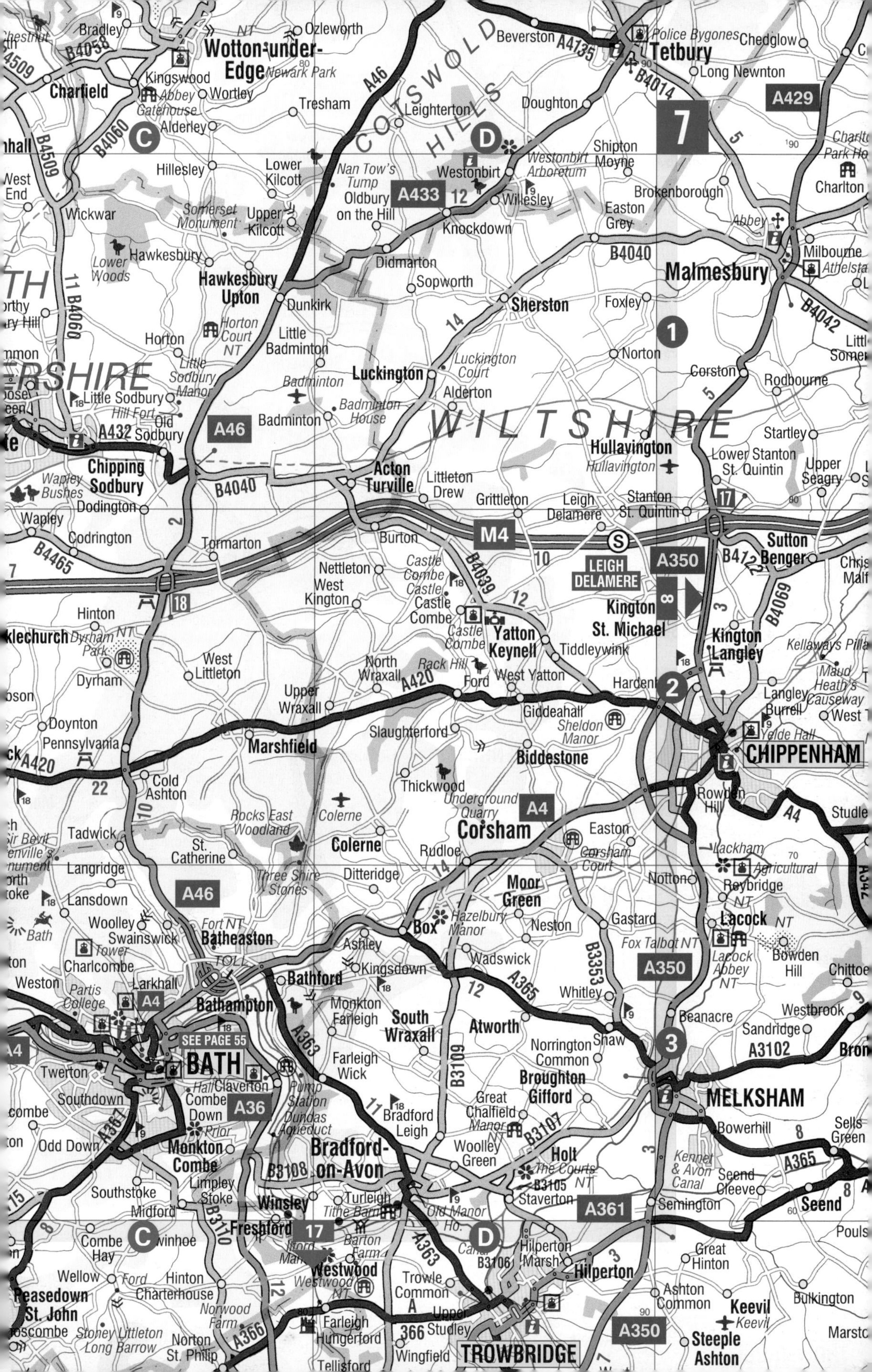

Bradley
Ozleworth
Wotton-under-Edge
Newark Park
Beverston
A4135
Police Bygones
Tetbury
Chedglow
B4058
Kingswood
Abbey Gatehouse
Wortley
Charfield
Tresham
Leighterton
COTSWOLD HILLS
Long Newnton
B4014
Doughton
A429
7
B4060
Alderley
C
D
A46
B4509
Shipton Moyne
Westonbirt
Westonbirt Arboretum
Charlton Park House
Charlton
Hillesley
Lower Kilcott
Nan Tow's Tump
Oldbury on the Hill
A433
Willesley
Brokenborough
West End
Wickwar
Somerset Monument
Upper Kilcott
Knockdown
Easton Grey
Abbey
Milbourne
Hawkesbury
Lower Woods
Hawkesbury Upton
Didmarton
B4040
Malmesbury
Athelstan
Sopworth
Dunkirk
Sherston
Foxley
B4042
B4060
Horton
Horton Court NT
Little Badminton
1
Norton
Luckington Court
Little Sodbury Manor
Luckington
Corston
Rodbourne
Badminton
Little Sodbury
Hill Fort
Old Sodbury
Alderton
Badminton House
Badminton
WILTSHIRE
Startley
A432
A46
Hullavington
Lower Stanton St. Quintin
Upper Seagry
Chipping Sodbury
Wapley Bushes
Acton Turville
Littleton Drew
Hullavington
Dodington
B4040
Grittleton
Leigh Delamere
Stanton St. Quintin
17
Wapley
Codrington
Tormarton
Burton
M4
Sutton Benger
B4465
Nettleton
Castle Combe Castle
B4039
10
LEIGH DELAMERE
A350
B4122
West Kington
Castle Combe
12
Kington St. Michael
8
B4069
18
Hinton
Dyrham Park NT
Yatton Keynell
Castle Combe
Tiddleywink
Kington Langley
Kellaways
Dyrham
West Littleton
North Wraxall
Rack Hill
Ford
West Yatton
Harden
2
Maud Heath's Causeway
Langley Burrell
Upper Wraxall
A420
Giddeahall
Sheldon Manor
West Tytherton
Doynton
Slaughterford
Yelde Hall
Pennsylvania
Marshfield
Biddestone
CHIPPENHAM
A420
22
Cold Ashton
Thickwood
Rowden Hill
Underground Quarry
A4
Studley
Tadwick
Rocks East Woodland
Colerne
Corsham
Easton
St. Catherine
Colerne
Rudloe
Corsham Court
Lackham Agricultural
Langridge
Three Shire Stones
Ditteridge
Moor Green
Notton
Reybridge
A46
Lansdown
Woolley
Fort NT
Box
Hazelbury Manor
Neston
Gastard
Lacock
Swainswick
Batheaston
Ashley
Fox Talbot NT
Bowden Hill
Tower
Charlcombe
Kingsdown
Wadswick
B3353
A350
Lacock Abbey NT
Chittoe
Weston
Partis College
Larkhall
A4
Bathford
A365
Whitley
Westbrook
Bathampton
Monkton Farleigh
South Wraxall
Atworth
Beanacre
Sandridge
A3102
3
SEE PAGE 55
BATH
A363
Norrington Common
Shaw
Twerton
Hall
Claverton
Farleigh Wick
B3109
Broughton Gifford
MELKSHAM
Southdown
Combe Down
A36
Pump Station
Dundas Aqueduct
Bradford Leigh
Great Chalfield Manor NT
Bowerhill
Sells Green
A367
Prior
Odd Down
Monkton Combe
Bradford-on-Avon
Woolley Green
B3107
Holt
Kennet & Avon Canal
Seend Cleeve
A365
B3108
Limpley Stoke
The Courts NT
B3105
Southstoke
Midford
Winsley
Turleigh
Tithe Barn
Old Manor Ho.
Staverton
A361
Semington
Seend
B3110
Freshford
17
Combe Hay
Iford Manor
Barton Farm
D
Hilperton Marsh
Great Hinton
Westwood
B3106
Hilperton
Wellow
Ford
Hinton Charterhouse
Westwood NT
Trowle Common
Ashton Common
Keevil
Bulkington
Peasedown St. John
Norwood Farm
A
Upper Studley
Keevil
Farleigh Hungerford
366
A350
Steeple Ashton
Stoney Littleton Long Barrow
Norton St. Philip
A366
Wingfield
TROWBRIDGE
Tellisford

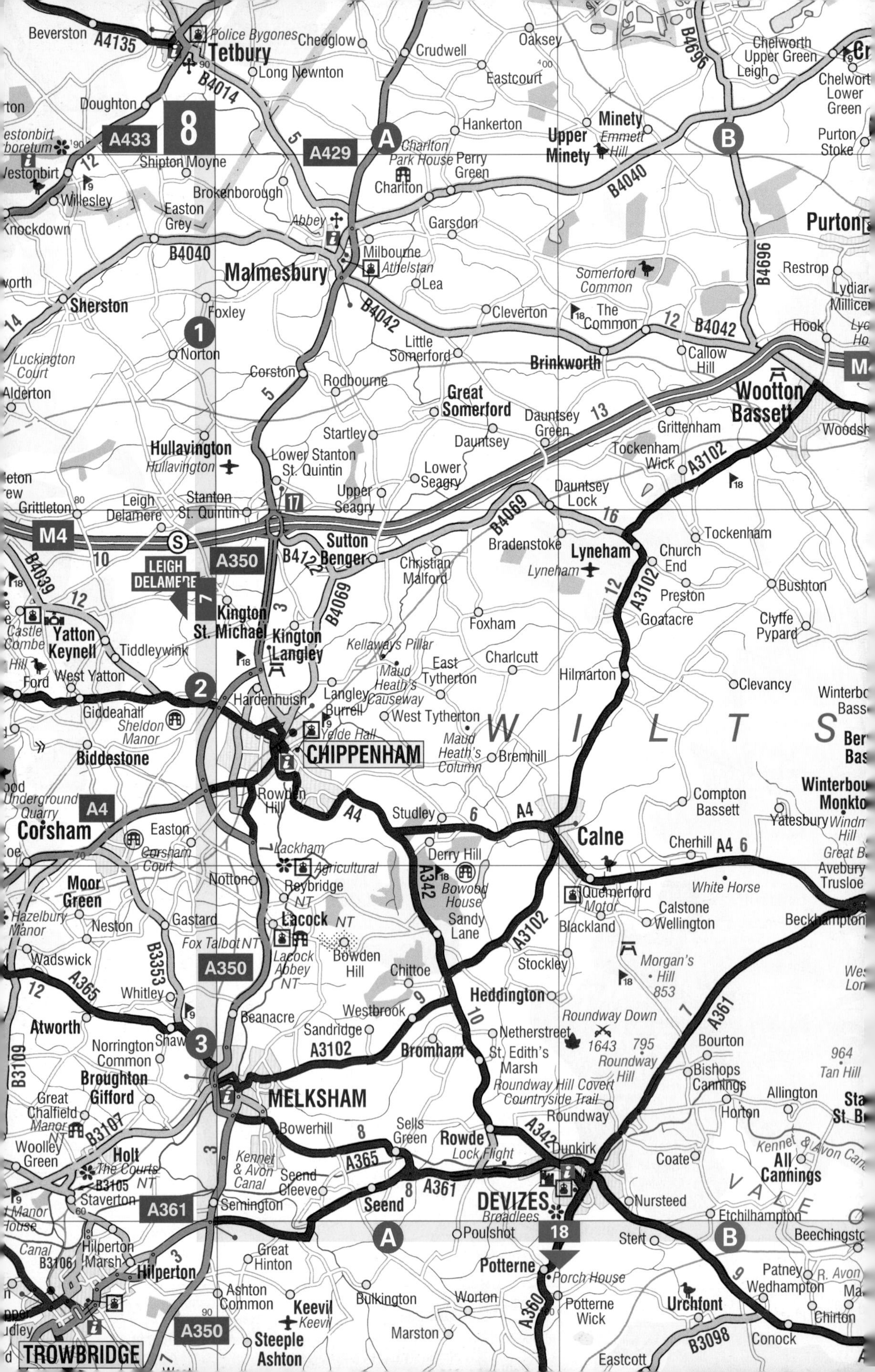
8
Beverston
A4135
Police Bygones
Tetbury
Chedglow
Crudwell
Oaksey
B4696
Chelworth Upper Green
Leigh
Chelworth Lower Green
Long Newnton
B4014
Eastcourt
Doughton
Westonbirt Arboretum
A433
Shipton Moyne
A429
A
Charlton Park House
Charlton
Perry Green
Hankerton
Minety
Upper Minety
Emmett Hill
B
Purton Stoke
B4040
Westonbirt
Willesley
Brokenborough
Easton Grey
Knockdown
Abbey
Garsdon
Purton
Milbourne
Athelstan
Malmesbury
B4040
Somerford Common
Restrop
Lea
Sherston
Foxley
B4042
Cleverton
The Common
Callow Hill
Hook
Norton
Little Somerford
Brinkworth
Luckington Court
Corston
Rodbourne
Alderton
Great Somerford
Dauntsey Green
Wootton Bassett
Grittenham
Startley
Dauntsey
Hullavington
Lower Stanton St. Quintin
Tockenham Wick
A3102
Lower Seagry
Upper Seagry
Dauntsey Lock
Grittleton
Leigh Delamere
Stanton St. Quintin
17
M4
B4069
Bradenstoke
Tockenham
Sutton Benger
Lyneham
Church End
A350
B4122
Christian Malford
LEIGH DELAMERE
B4039
Preston
Bushton
Kington St. Michael
Kington Langley
Foxham
Goatacre
Clyffe Pypard
Castle Combe
Yatton Keynell
Tiddleywink
Kellaways Pillar
Maud Heath's Causeway
East Tytherton
Charlcutt
Hilmarton
Ford
West Yatton
Hardenhuish
Langley Burrell
West Tytherton
Clevancy
Giddeahall
Sheldon Manor
Yelde Hall
W I L T S
Biddestone
CHIPPENHAM
Maud Heath's Column
Bremhill
Underground Quarry
A4
Rowden Hill
Compton Bassett
Corsham
Easton
Studley
Calne
Yatesbury
Corsham Court
Lackham
Derry Hill
Cherhill
Agricultural
Notton
Bowood House
Quemerford
White Horse
Moor Green
Reybridge
Calstone Wellington
Avebury Trusloe
Hazelbury Manor
Neston
Gastard
Lacock
Sandy Lane
Blackland
Beckhampton
Fox Talbot NT
A342
Wadswick
B3353
Lacock Abbey NT
Bowden Hill
Morgan's Hill 853
A365
Whitley
Chittoe
Stockley
Heddington
Atworth
Beanacre
Westbrook
Roundway Down
Sandridge
Netherstreet
1643
795
Norrington Common
Shaw
A3102
Bromham
St. Edith's Marsh
Roundway Hill
Bourton
964 Tan Hill
Broughton Gifford
MELKSHAM
Bishops Cannings
Roundway Hill Covert Countryside Trail
Allington
Great Chalfield Manor
Roundway
Horton
B3107
Bowerhill
Sells Green
Rowde
Woolley Green
Holt
Kennet & Avon Canal
Lock Flight
Dunkirk
Coate
All Cannings
The Courts
A365
B3105 NT
Seend Cleeve
A361
Kennet & Avon Canal
Staverton
A361
Semington
Seend
DEVIZES
Nursteed
Broadlees
Etchilhampton
Hilperton Marsh
Great Hinton
Poulshot
18
Stert
Beechingstoke
B3106
Hilperton
Potterne
Porch House
Patney
Wedhampton
Ashton Common
Keevil
Bulkington
Worton
Potterne Wick
Urchfont
Chirton
A360
A350
Steeple Ashton
Marston
Conock
B3098
TROWBRIDGE
Eastcott

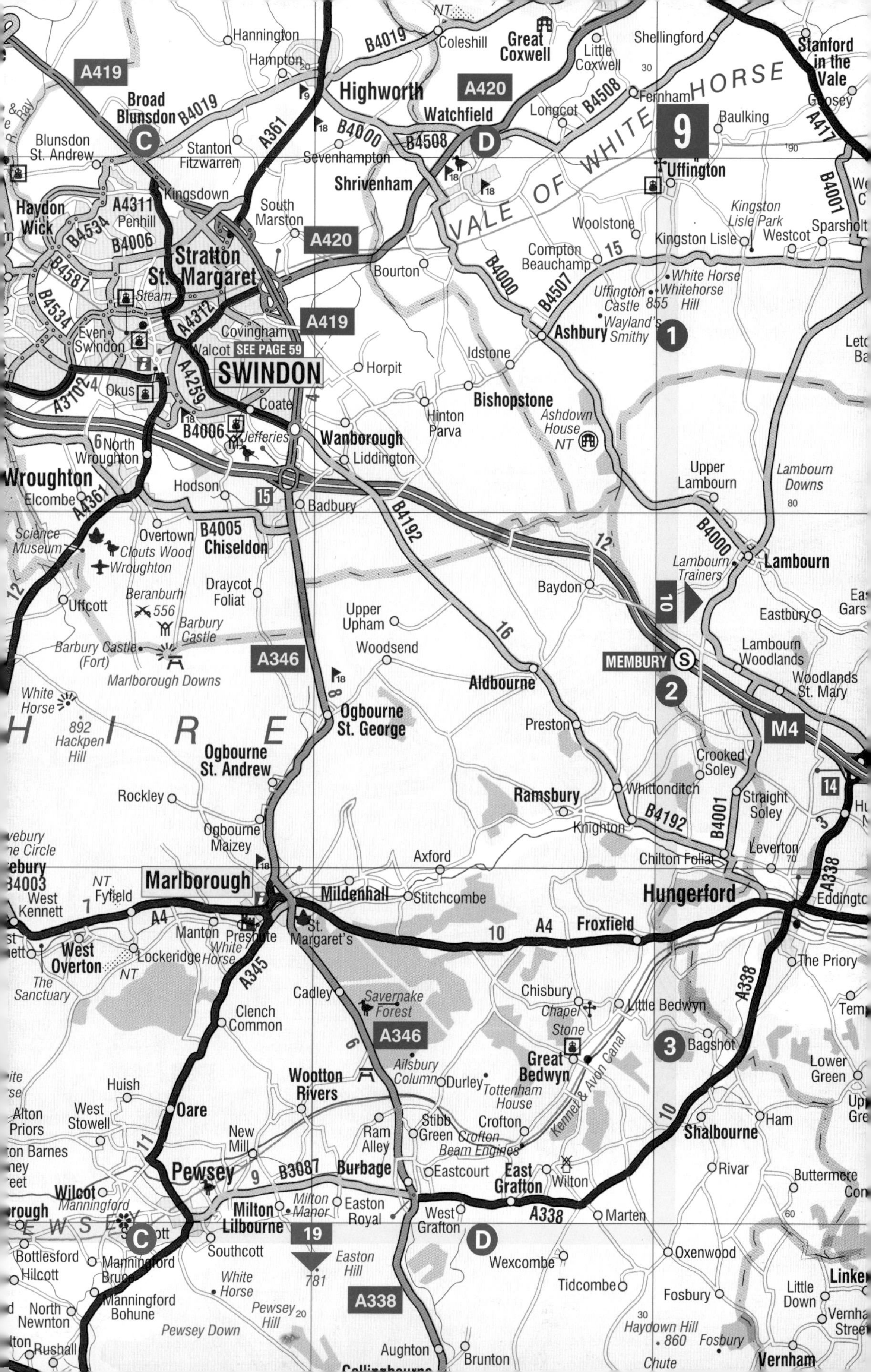

NT
Hannington
Hampton
B4019
Coleshill
Great Coxwell
Little Coxwell
Shellingford
Stanford in the Vale
A419
Highworth
A420
Watchfield
Longcot
B4508
Fernham
Goosey
VALE OF WHITE HORSE
Broad Blunsdon
B4019
A361
B4000
B4508
Baulking
A417
9
C
D
Blunsdon St. Andrew
Stanton Fitzwarren
Sevenhampton
Uffington
Shrivenham
Kingsdown
B4001
Haydon Wick
A4311
Penhill
South Marston
Kingston Lisle Park
Woolstone
Sparsholt
Westcot
B4534
B4006
A420
Kingston Lisle
Stratton St. Margaret
Compton Beauchamp
15
B4587
Bourton
B4000
White Horse
Whitehorse Hill
Uffington Castle
855
B4534
Steam
B4507
A4312
A419
Even Swindon
Covingham
Wayland's Smithy
Ashbury
1
Walcot
SEE PAGE 59
SWINDON
Idstone
Horpit
A3102
Okus
A4259
Coate
Bishopstone
Hinton Parva
Ashdown House NT
B4006
Jefferies
Wanborough
North Wroughton
6
Liddington
Upper Lambourn
Lambourn Downs
Wroughton
Hodson
15
Badbury
Elcombe
A4361
B4192
80
Overtown
B4005
Chiseldon
B4000
Science Museum
Clouts Wood
12
Lambourn Trainers
Lambourn
Wroughton
Draycot Foliat
Baydon
10
12
Beranburh
Uffcott
556
Upper Upham
Eastbury
Barbury Castle
16
Barbury Castle (Fort)
Woodsend
Lambourn Woodlands
A346
MEMBURY
S
Marlborough Downs
18
Aldbourne
Woodlands St. Mary
White Horse
2
8
Ogbourne St. George
892
Hackpen Hill
H I R E
Preston
M4
Ogbourne St. Andrew
Crooked Soley
Rockley
Ramsbury
Whittonditch
14
Straight Soley
B4001
Ogbourne Maizey
Knighton
B4192
Avebury Stone Circle
Axford
Chilton Foliat
Leverton
A338
70
Avebury
B4003
NT
Fyfield
Marlborough
Mildenhall
Stitchcombe
Hungerford
Eddington
West Kennett
7
A4
Manton
Preshute
St. Margaret's
10
A4
Froxfield
West Overton
Lockeridge
White Horse
NT
A345
The Priory
The Sanctuary
Cadley
Savernake Forest
Chisbury
Chapel
Little Bedwyn
A338
Clench Common
A346
Stone
3
Bagshot
6
Ailsbury Column
Great Bedwyn
Lower Green
Huish
Wootton Rivers
Durley
Tottenham House
Kennet & Avon Canal
Oare
Crofton
10
Alton Priors
West Stowell
New Mill
Ram Alley
Stibb Green
Crofton Beam Engines
Shalbourne
Ham
11
Pewsey
9
B3087
Burbage
Eastcourt
East Grafton
Wilton
Rivar
Buttermere
Wilcot
Milton Manor
Easton Royal
Manningford
Milton Lilbourne
West Grafton
A338
Marten
60
PEWSEY
19
C
D
Southcott
Bottlesford
Manningford Bruce
White Horse
Easton Hill
Wexcombe
Oxenwood
Hilcott
781
Tidcombe
Fosbury
Little Down
North Newnton
Manningford Bohune
Pewsey Hill
A338
Pewsey Down
30
Haydown Hill
860
Fosbury
Rushall
Aughton
Brunton
Chute
Vernham

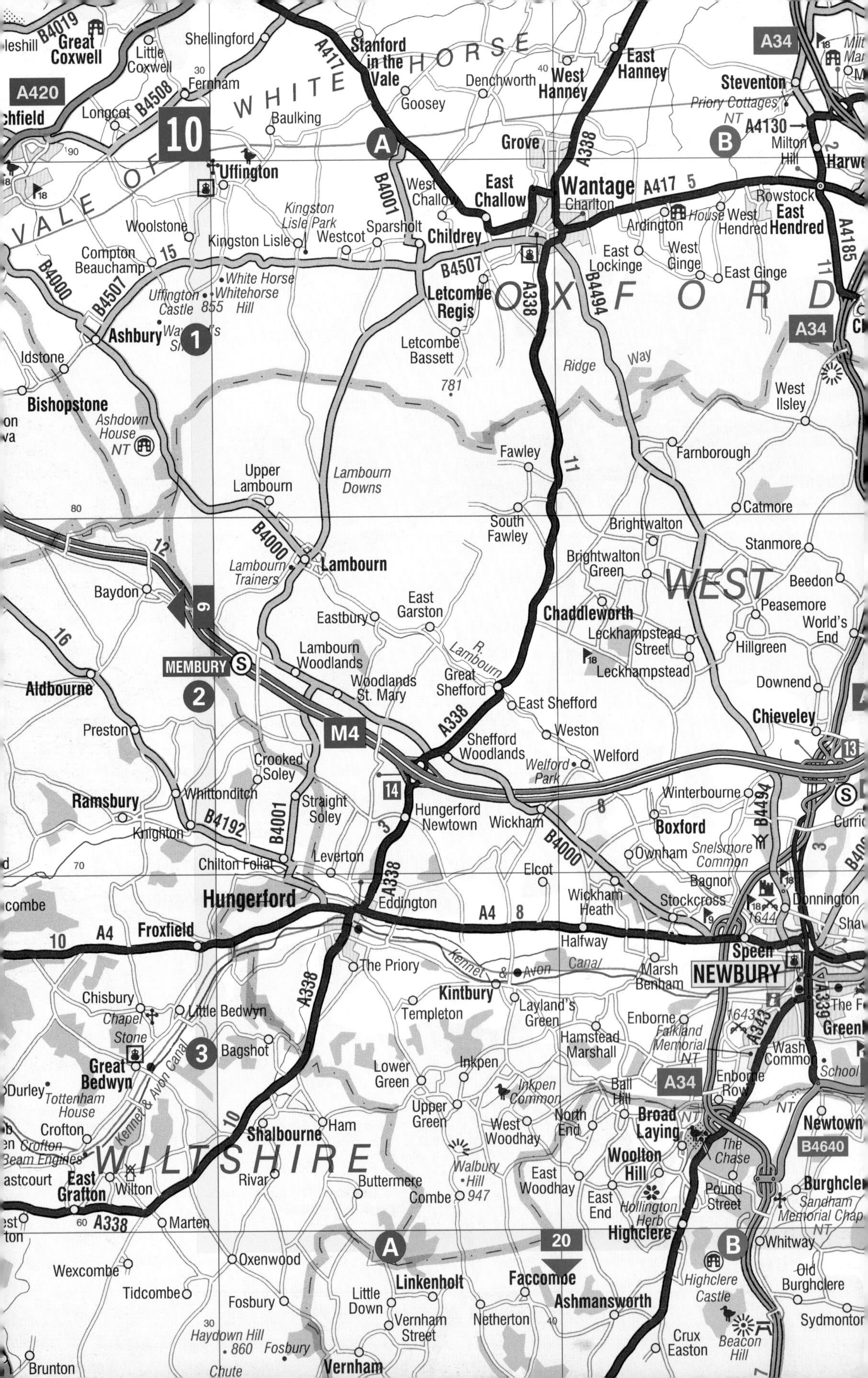

10
B4019
Great Coxwell
Little Coxwell
Shellingford
A420
Longcot
B4508
Fernham
A417
Stanford in the Vale
VALE OF WHITE HORSE
Goosey
Baulking
Denchworth
West Hanney
East Hanney
A34
Steventon
Priory Cottages NT
A4130
Milton Hill
Harwell
A
B
Grove
A338
Uffington
B4001
West Challow
East Challow
Wantage
A417
Charlton
Rowstock
Ardington
House
West Hendred
East Hendred
A4185
Woolstone
Kingston Lisle Park
Kingston Lisle
Westcot
Sparsholt
Childrey
Compton Beauchamp
B4507
East Lockinge
West Ginge
East Ginge
B4000
White Horse
Uffington Castle 855
Whitehorse Hill
Letcombe Regis
B4494
OXFORD
Ashbury
Wayland's Smithy
1
Letcombe Bassett
A34
Idstone
Bishopstone
781
Ridge Way
Ashdown House NT
West Ilsley
Fawley
Farnborough
Upper Lambourn
Lambourn Downs
Catmore
South Fawley
Brightwalton
Stanmore
B4000
Lambourn
Lambourn Trainers
Brightwalton Green
WEST
Beedon
Baydon
9
East Garston
Chaddleworth
Peasemore
World's End
Eastbury
Leckhampstead Street
Hillgreen
Lambourn Woodlands
R. Lambourn
Leckhampstead
MEMBURY
Aldbourne
2
Woodlands St. Mary
Great Shefford
East Shefford
Downend
Chieveley
M4
A338
Preston
Weston
Shefford Woodlands
Welford
Welford Park
13
Crooked Soley
14
Ramsbury
Whittonditch
Straight Soley
Hungerford Newtown
Wickham
Winterbourne
Boxford
B4494
Knighton
B4192
B4001
Leverton
B4000
Ownham
Snelsmore Common
Chilton Foliat
Elcot
Bagnor
Hungerford
Eddington
Wickham Heath
Stockcross
Donnington
A4
Froxfield
1644
Halfway
Speen
NEWBURY
The Priory
Kennet & Avon Canal
Marsh Benham
Kintbury
Chisbury
Layland's Green
Little Bedwyn
Chapel
Templeton
Enborne
Falkland Memorial NT
1643
A343
A339
Stone
3
Bagshot
Hamstead Marshall
Wash Common
Great Bedwyn
Lower Green
Inkpen
Inkpen Common
A34
Ball Hill
Enborne Row
Durley
Tottenham House
Upper Green
West Woodhay
North End
Broad Laying
Newtown
Crofton
Crofton Beam Engines
Kennet & Avon Canal
Ham
Shalbourne
WILTSHIRE
Walbury Hill 947
The Chase
B4640
East Grafton
Wilton
Rivar
Buttermere
East Woodhay
Woolton Hill
Pound Street
Burghclere
Combe
East End
Hollington Herb
Sandham Memorial Chapel NT
A338
Marten
20
Highclere
Whitway
A
B
Wexcombe
Oxenwood
Linkenholt
Faccombe
Highclere Castle
Old Burghclere
Tidcombe
Fosbury
Little Down
Vernham Street
Netherton
Ashmansworth
Sydmonton
Haydown Hill 860
Fosbury
Crux Easton
Beacon Hill
Brunton
Chute
Vernham

Appleford
Pendon
Little Wittenham
Abbey
Shillingford
Rokemarsh
Roke
B4009
Britwell Salome
White Mark
Christmas Common
Ibstone
Northend
B4016
A4074
Veteran Cycle
Benson
Ewelme
Greenfield
B480
A4130
Brightwell -cum-Sotwell
Slade End
Thames
Turville Heath
Pishill
11
C
D
Cookley Green
Russell's Water
Stonor Park
Wallingford
North Moreton
Crowmarsh Gifford
A4130
Nuffield
Park Corner
Stonor
East Hagbourne
Northbourne
South Moreton
Winterbrook
Maidensgrove
Warburg
West Hagbourne
Aston Upthorne
Cholsey & Wallingford Railway
Cholsey
Nuffield
Nettlebed
Crocker End
Upton
B4016
Aston Tirrold
A4074
Old Kiln
B481
Middle Assendon
Blewbury
A417
North Stoke
Wellplace Bird Farm
Ipsden
Bix
Lower Assendon
B4009
Witheridge Hill
Well
Moulsford
North Grove
Checkendon
Stoke Row
Satwell
A4130
Greys Court
Shepherd's Green
HENLEY -ON- THAMES
A417
South Stoke
Exlade Street
Wyfold Grange
Rotherfield Greys
Cleeve
Woodcote
A329
B471
Rotherfield Peppard
Streatley
B4526
Cray's Pond
Gallowstree Common
Compton
Goring
The Herb Farm
Sonning Common
Harpsden
B4009
Whitchurch Hill
Cane End
Vineyard
Aldworth
Lower Basildon
Beale Park
B471
Goring Heath
Kidmore End
Binfield Heath
BERKSHIRE
Basildon Park
Whitchurch-on-Thames
Mapledurham
A4074
B481
Dunsden Green
TOLL
Mapledurham House & Mill
12
Hampstead Norreys
Ashampstead
Pangbourne
Wyld Court Rainforest
Quick's Green
Upper Basildon
Emmer Green
A4155
B4009
Purley on Thames
Caversham Heights
Caversham
Play Hatch
A340
Eling
Yattendon
Tidmarsh
A329
Burnt Hill
M4
Sulham
Frilsham
Tilehurst
Hermitage
Wellhouse
Bradfield
Englefield
Calcot Row
READING
SEE PAGE 58
Stanford Dingley
Rotten Row
Englefield House
North Street
Univ.
Bucklebury
Tutts Clump
Theale
M4
A33
Earley
A327
B3031
B3270
Farm Park
The Slade
South End
Sheffield Bottom
Chapel Row
Trash Green
READING
Cold Ash
Beenham
Canal
Sulhamstead
Burghfield
Thatcham
Upper Bucklebury
Three Mile Cross
Shinfield
A4
Midgham
Woolhampton
Aldermaston Wharf
Burghfield Hill
Grazeley
Arborfield
Henry St.
Padworth
Ufton Nervet
Burghfield Common
Carriage
Spencers Wood
R.E.M.E.
R. Kennet
Aldermaston
Swallowfield Park
Brimpton
Stratfield Mortimer
Mortimer Common
Beech Hill
B3349
Swallowfield
A340
Crookham
Mortimer West End
Aldermaston Soke
National Dairy
Farley Hill
Calleva Roman City Walls
Headley
Ashford Hill
B3051
Blackwater
Riseley
Pamber Heath
Silchester
Stratfield Saye
Heath End
Plastow Green
Wellington
West End Green
Stratfield Saye Ho.
Mon.
Loddon
Bramshill
Fair Oak
Tadley
Pamber Forest
Fair Oak Green
Baughurst
Latchmere Green
Heckfield
Wolverton Common
Pamber Green
21
Bramley
Bramley Green
Stratfield Turgis
B3011
Little London
Hound Green
Hazeley
Towns End
West Heath
Pamber End
Turgis Green
Sherfield on Loddon
A33
Mattingley
Wolverton
Charter Alley
Church End
Hartley Wespall
Dipley
West Green Ho.
Ramsdell
Lyde Green
A339
The Vyne
Monk Sherborne
Sherborne
Rotherwick
West Green
B3349

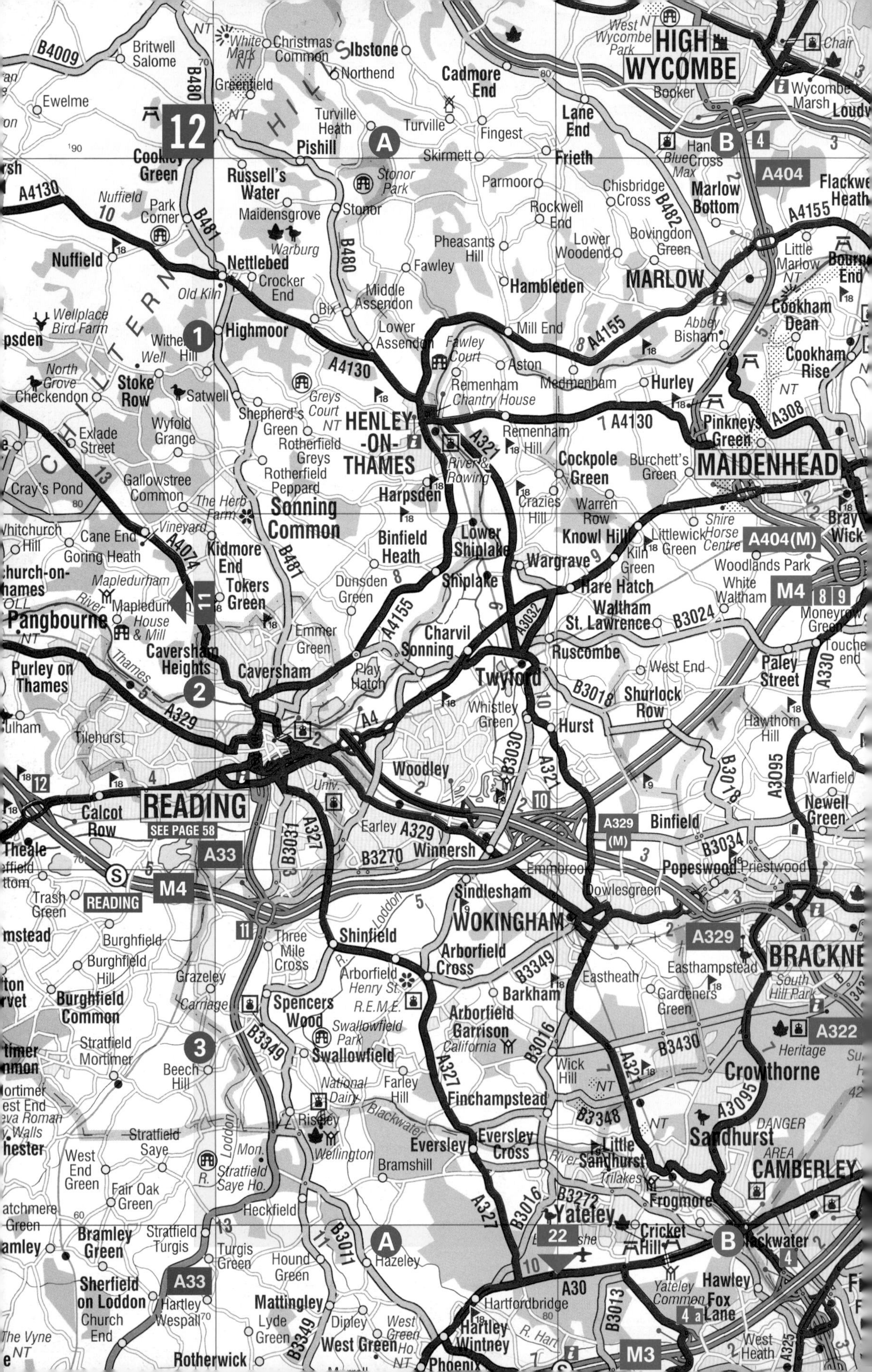

B4009
Britwell Salome
White Mark
Christmas Common
Ibstone
Northend
Greenfield
Ewelme
B480
12
Turville Heath
Turville
Cadmore End
Fingest
Lane End
West Wycombe Park
HIGH WYCOMBE
Booker
Wycombe Marsh
Loudw
Pishill
A
Skirmett
Frieth
Cookley Green
Russell's Water
Stonor Park
Stonor
Parmoor
Chisbridge Cross
Blue Max
Han Cross
B
4
A404
Marlow Bottom
Flackwe Heath
A4130
Nuffield
Park Corner
Maidensgrove
Warburg
B481
B480
Rockwell End
Pheasants Hill
Lower Woodend
Bovingdon Green
B482
A4155
Little Marlow
Bourne End
Nuffield
Nettlebed
Crocker End
Old Kiln
Fawley
Middle Assendon
Hambleden
MARLOW
Cookham Dean
Wellplace Bird Farm
Bix
Highmoor
Lower Assendon
Fawley Court
Mill End
Abbey Bisham
Cookham Rise
Witheridge Hill
Well
CHILTERN HILLS
North Grove
Checkendon
Stoke Row
Satwell
Remenham
Aston
Medmenham
Hurley
Chantry House
Greys Court
Shepherd's Green
HENLEY-ON-THAMES
A4130
Remenham Hill
Pinkneys Green
A308
Exlade Street
Wyfold Grange
Rotherfield Greys
River & Rowing
A321
Cockpole Green
Burchett's Green
MAIDENHEAD
Rotherfield Peppard
Harpsden
Cray's Pond
Gallowstree Common
Sonning Common
Crazies Hill
Warren Row
The Herb Farm
Vineyard
Whitchurch Hill
Cane End
A4074
Binfield Heath
Lower Shiplake
Knowl Hill
Littlewick Green
Shire Horse Centre
A404(M)
Bray Wick
Goring Heath
Kidmore End
Kiln Green
Woodlands Park
Wargrave
Shiplake
Dunsden Green
Hare Hatch
Whitchurch-on-Thames
Mapledurham
Tokers Green
White Waltham
M4
Pangbourne
Mapledurham House & Mill
11
A3032
Waltham St. Lawrence
B3024
Moneyrow Green
Emmer Green
Charvil
Sonning
Caversham Heights
Ruscombe
Touchen end
Purley on Thames
Caversham
Play Hatch
Twyford
West End
Paley Street
Thames
2
A329
A4
Whistley Green
B3018
Shurlock Row
A330
Sulham
Tilehurst
Hurst
Hawthorn Hill
Woodley
B3030
A321
B3018
A3095
Warfield
Calcot Row
READING
SEE PAGE 58
Univ.
Newell Green
Theale
A33
Earley
A329
10
A329 (M)
Binfield
B3034
B3031
A327
Winnersh
B3270
Emmbrook
Popeswood
Priestwood
M4
READING
Trash Green
Sindlesham
Loddon
Dowlesgreen
WOKINGHAM
Burghfield
Three Mile Cross
Shinfield
Arborfield Cross
A329
BRACKNELL
Burghfield Hill
Arborfield
Henry St.
R.E.M.E.
Barkham
Eastheath
Easthampstead
B3349
Grazeley
Carriage
Burghfield Common
Spencers Wood
Swallowfield Park
Arborfield Garrison
California
Gardeners Green
South Hill Park
A322
Stratfield Mortimer
Beech Hill
Swallowfield
B3016
B3430
Heritage
Crowthorne
Wick Hill
National Dairy
Farley Hill
A327
Finchampstead
NT
Mortimer West End
Roman Walls
Silchester
Stratfield Saye
Risley
Blackwater
B3348
A3095
Sandhurst
DANGER AREA
West End Green
Mon.
Stratfield Saye Ho.
Wellington
Eversley
Eversley Cross
Little Sandhurst
Trilakes
CAMBERLEY
Bramshill
Fair Oak Green
Heckfield
B3016
B3272
Yateley
Frogmore
Bramley Green
Stratfield Turgis
Turgis Green
B3011
Hazeley
22
Cricket Hill
Blackwater
Hound Green
A30
Hawley
Sherfield on Loddon
A33
Hartley Wespall
Mattingley
Hartfordbridge
B3013
Yateley Common
Fox Lane
4a
Church End
Lyde Green
Dipley
West Green Ho.
Hartley Wintney
R. Hart
The Vyne
Rotherwick
West Green
Phoenix
M3
West Heath
A325

A355
Penn
Knotty Green
Forty Green
Bekonscot Model Vill.
Chalfont St. Giles
Seer Green
Milton's Cottage
Jordans
Mayflower Barn
Meeting House
Layter's Green
BEACONSFIELD
Open Air
Shire Centre
A413
M25
17
Chalfont Common
Chalfont St. Peter
Maple Cross
Batchworth
West Hyde
Moor Park
Eastbury
South Oxhey
NORTHWOOD
Hatch End
13
Harefield
Farm
Grand Union Canal
Ruislip Common
Lido
Heritage Cen.
PINNER
A40
M40
Wooburn Green
Odds Farm Park
Hedgerley
Gerrards Cross
Denham
Denham Green
Bayhurst Wood
Newyears Green
Eastcote
RUISLIP
Speech
Rayners Lane
CHILTERN HUNDREDS
Farnham Common
Egypt
Fulmer
16
Tatling End
Ickenham
B467
Northolt
NORTHOLT
Cliveden
Stoke Poges
Pinewood Film Studios
1a
New Denham
B483
UXBRIDGE
East Burnham
Burnham
Taplow
Farnham Royal
Wexham Street
Black Park
Langley Park
Shreding Green
Iver Heath
Iver Grove
A4020
A437
Hillingdon
Cowley
A312
GREENFORD
Yeading
B455
SLOUGH
A412
A408
HAYES
A4020
Hanwell
George Green
B470
Richings Park
Abbey
Cippenham
A4
A355
Dorney
Marina
Eton Wick
Boveney
Upton
Langley
Sutton
West Drayton
Yiewsley
Thorney
SOUTHALL
Pottery Collection
HESTON
M4
A4127
Eton Coll.
Eton
Windsor
Oakley Green
WINDSOR
SEE PAGE 59
Datchet
Colnbrook
Harmondsworth
Sipson
Harlington
Heston
Osterley
Poyle
Horton
Longford
4a
LONDON HEATHROW
A4
Cranford
A30
A3006
Frogmore
B3024
Legoland Park
B3022
A332
Old Windsor
B3021
A308
B376
Wraysbury
Hythe End
M25
Stanwell Moor
B378
Stanwell
A3044
14
Hatton
HOUNSLOW
Rugby Grd.
A315
A312
A314
A316
East Bedfont
A244
WINDSOR GREAT PARK
Cranbourne
Woodside
Magna Carta
Runnymede
A328
A30
Englefield Green
ASHFORD
B3003
FELTHAM
TWICKENHAM
Savill
Obelisk
Egham Hythe
B377
Felthamhill
Hanworth
Kempton Park
Hampton
Cheapside
Ascot
Virginia Water
Valley
Univ. Galy.
EGHAM
STAINES
B376
A308
Queen Mary Resr.
M3
SUNBURY
A311
A308
A329
Thorpe
Thorpe Park
A320
Laleham
B377
Littleton
Upper Halliford
West Molesey
A3050
East Molesey
B369
Sunningdale
Virginia Water
Trumps Green
South Ascot
Sunninghill
Broomhall
Shepperton
WALTON-ON-THAMES
Thames Ditton
Sandown Park
Lyne
CHERTSEY
WEYBRIDGE
A3050
A244
A309
ESHER
B3020
A30
B386
Windlesham
Longcross
Addlestone
A317
A317
Hersham
Claygate
Claremont
Valley End
B383
Burrowhill
Ottershaw
B3121
Row Town
New Haw
Brooklands
B372
B365
Whiteley Village
A307
A244
SURREY
Lightwater
Chobham
Fairoaks
Woodham
B385
A319
A320
A245
Mole
B374
B280
B311
Donkey Town
West End
Castle Green
A3046
Mimbridge
Sheerwater
West Byfleet
Byfleet
Fairmile
Cobham
Oxshott
B3015
DANGER AREA
Bisley
Horsell
23
Knaphill
A324
B382
Pyrford
Wisley
R.H.S.
Painshill Park
Cobham Mill
Stoke D'Abernon
Pacheshan
Logistic & Ordnance
Deepcut
Brookwood
A322
WOKING
B367
B2215
Priory
Ripley
Martyr's Green
Semaphore Tower
Downside
M25
A245
Old Woking
Mayford
Send
Ockham
Effingham Common
LEATHERHEAD

14
WESTON-SUPER-
Steep Holm
BRISTOL CHANNEL
BRIDGWATER BAY
BURNHAM-ON
Brean Down NT
Berrow Dunes
Hinkley Point Nuclear Power Station
Bridgwater Bay
Stolford
Steart
Watchet
Market House
Lilstock
Knighton
Wick
Stockland Bristol
East Quantoxhead
Kilton
Burton
Shurton
Kilve
Stringston
Stogursey
Stogursey Castle
Otterhampton
Combwich
Doniford
Old Cleeve
Five Bells
Washford
Tropiquaria
Williton
West Quantoxhead
Holford
Coultings
Dodington
Dodington Hall
Coleridge Cottage NT
Fiddington
Cannington College Heritage
Rodway
Cannington
Abbey
Hungerford
Stream
Mill
Orchard Wyndham
Yarde
Capton
Sampford Brett
Bicknoller
Halsway Manor
Halsway
QUANTOCK HILLS
Nether Stowey
Over Stowey
Vellow
Newton
Monksilver
Kingswood
Church House
Quantock Forest Trail
Aley
Charlynch
Bradley Green
Spaxton
Four Forks
Northfield
Chidgley
Stogumber
Bee World
Watermill
Crowcombe
Plainsfield
Pightley
Durleigh Resr.
Durleigh
Combe Sydenham
Great Wood
Flaxpool
Aisholt
Barford Park
Enmore
Elworthy
Lower Vexford
Wills Neck
Aisholt Ring
Merridge
Goathurst
BRIDGW
Permanent Way
West Bagborough
Courtway
Rooks Nest
Willett
Seven Ash
Huntstile
North Petherton
Clatworthy Reservoir
Brompton Ralph
Lydeard St. Lawrence
East Bagborough
Tolland
Gaulden Manor
Combe Florey
East Combe
Cothelstone
Fyne Court
Broomfield
Clatworthy
Pitsford Hill
Tarr
Shearston
Thurloxton
Langley Marsh
Whitefield
Ash Priors
Bishop's Lydeard
Kingston St. Mary
Adsborough
Huish Champflower
Langley
Ford
Fitzhead
Fulford
Hestercombe Ho.
West Monkton
Wiveliscombe
Croford
West Somerset Railway
Nailsbourne
Upper Cheddon
Halse
TAUNTON DEANE
Cheddon Fitzpaine
Monkton Heathfield
Chipstable
VALE OF
Preston Bowyer
Heathfield
Staplegrove
Bathpool
Hartswell
A39
A358
A38
B3191
B3190
B3188
B3224
B3339

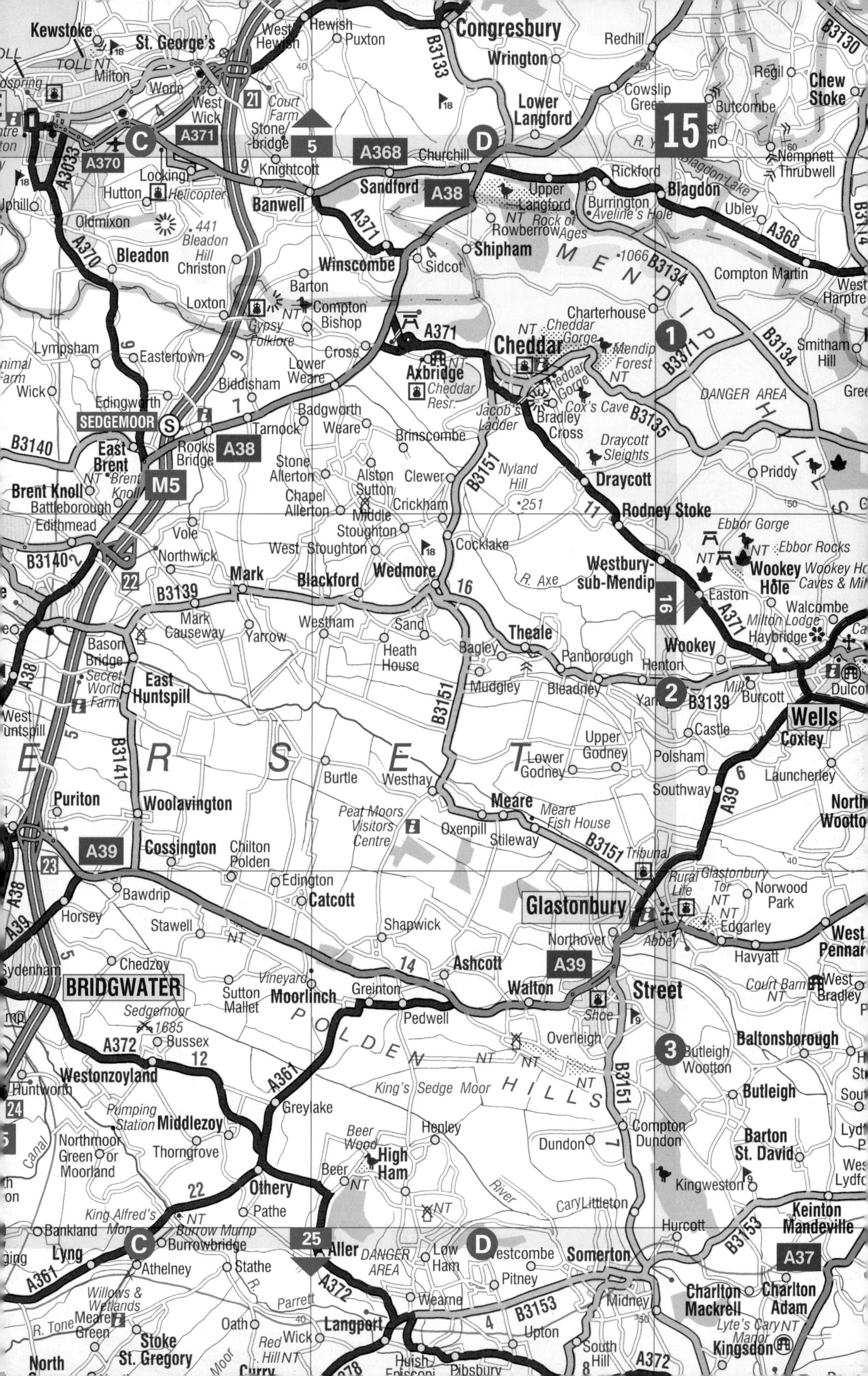

Kewstoke
St. George's
West Hewish
Hewish
Puxton
Congresbury
Redhill
B3130
TOLL
Milton
Worle
21
Court Farm
B3133
Wrington
Cowslip Green
Regil
Chew Stoke
West Wick
Stone-bridge
5
Lower Langford
Butcombe
15
C
A371
A368
Churchill
D
Nempnett Thrubwell
A3033
A370
Locking
Knightcott
Rickford
Blagdon Lake
Hutton
Helicopter
Sandford
A38
Upper Langford
Burrington
Blagdon
Ubley
Uphill
Banwell
A371
NT Rock of Ages
Aveline's Hole
Oldmixon
Rowberrow
441
Bleadon Hill
Shipham
MENDIP HILLS
A368
A370
Bleadon
Christon
Winscombe
Sidcot
1066
B3134
Compton Martin
West Harptree
Barton
Loxton
Compton Bishop
Charterhouse
Gypsy Folklore
A371
Cheddar
NT Cheddar Gorge
1
B3371
B3134
Smitham Hill
Lympsham
Eastertown
Cross
Mendip Forest
NT
Lower Weare
Axbridge
Cheddar Resr.
DANGER AREA
Wick
Biddisham
Cheddar Gorge
Edingworth
Badgworth
Jacob's Ladder
Cox's Cave
B3135
SEDGEMOOR
Tarnock
Weare
Bradley Cross
B3140
East Brent
Rooks Bridge
A38
Brinscombe
Draycott Sleights
NT Brent Knoll
Stone Allerton
Alston Sutton
Clewer
B3151
Nyland Hill
Priddy
Brent Knoll
M5
Chapel Allerton
Crickham
Draycott
Battleborough
Middle Stoughton
251
Rodney Stoke
Edithmead
Vole
11
Ebbor Gorge
NT Ebbor Rocks
Cocklake
B3140
Northwick
West Stoughton
Westbury-sub-Mendip
Wookey Hole
Wookey Hole Caves & Mill
22
Mark
Blackford
Wedmore
R. Axe
B3139
16
Easton
Walcombe
Mark Causeway
Westham
Sand
Theale
Milton Lodge
Haybridge
Yarrow
A371
Bason Bridge
Heath House
Bagley
Panborough
Wookey
Secret World Farm
East Huntspill
Mudgley
Bleadney
Henton
Yarley
2
B3139
Mill
Burcott
Dulcote
West Huntspill
B3151
Wells
Coxley
Castle
Upper Godney
B3141
SOMERSET
Lower Godney
Polsham
Burtle
Westhay
6
Launcherley
Southway
A39
Puriton
Woolavington
Meare
Meare Fish House
Peat Moors Visitors Centre
Oxenpill
North Wootton
Stileway
A39
Cossington
Chilton Polden
B3151
Tribunal
23
Rural Life
Glastonbury Tor NT
Norwood Park
A38
Edington
Bawdrip
Catcott
Glastonbury
NT
Edgarley
Horsey
Abbey
West Pennard
A39
Stawell
Shapwick
Northover
Havyatt
Chedzoy
14
Ashcott
A39
Sydenham
Vineyard
Court Barn NT
West Bradley
BRIDGWATER
Sutton Mallet
Moorlinch
Greinton
Walton
Street
Sedgemoor 1685
Pedwell
Shoe
POLDEN HILLS
Overleigh
3
Butleigh Wootton
Baltonsborough
A372
Bussex
12
Westonzoyland
A361
King's Sedge Moor
B3151
Huntworth
Butleigh
24
Pumping Station
Middlezoy
Greylake
Henley
Compton Dundon
Barton St. David
Northmoor Green or Moorland
Thorngrove
Beer Wood
High Ham
Dundon
Canal
Beer
NT
River
Kingweston
22
Othery
Cary
Littleton
King Alfred's Mon
Pathe
NT
Keinton Mandeville
Bankland
Burrow Mump
Hurcott
B3153
Lyng
C
Burrowbridge
25
Aller
DANGER AREA
Low Ham
D
Westcombe
Somerton
A37
A361
Athelney
Stathe
Pitney
Charlton Mackrell
Charlton Adam
Willows & Wetlands
A372
Parrett
Wearne
Midney
B3153
R. Tone
Meare Green
Oath
Langport
4
Upton
Lyte's Cary NT Manor
Stoke St. Gregory
Red Hill NT
Wick
South Hill
A372
Kingsdon
North
Moor
Curry
Huish Episcopi
Pibsbury

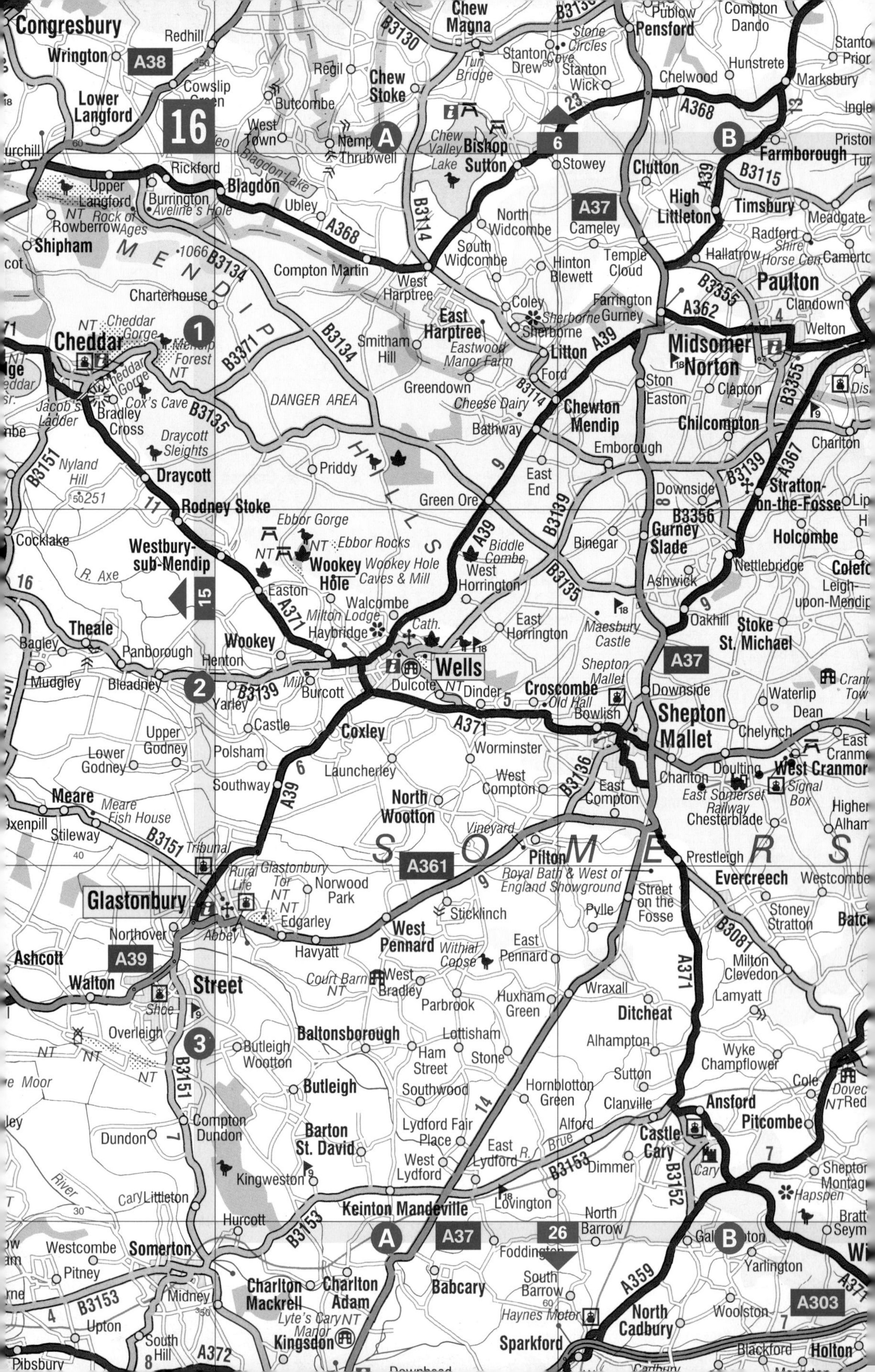

16
Congresbury
Wrington
A38
Redhill
Cowslip Green
Lower Langford
Churchill
Upper Langford
Rickford
Burrington
Aveline's Hole
NT Rock of Ages
Rowberrow
Shipham
Blagdon
Blagdon Lake
Ubley
A368
Regil
Butcombe
West Town
Nempnett Thrubwell
A
Chew Magna
B3130
Chew Stoke
Chew Valley Lake
Bishop Sutton
B3114
Tun Bridge
Stanton Drew
Stone Circles
Cove
Stanton Wick
Stowey
6
23
Publow
Pensford
Compton Dando
Hunstrete
Chelwood
Marksbury
A368
B
Farmborough
Priston
Clutton
A39
High Littleton
B3115
Timsbury
Meadgate
Radford
Shire Horse Cen.
Camerton
Hallatrow
Paulton
B3355
A362
Clandown
Welton
Midsomer Norton
Farrington Gurney
A37
Cameley
Temple Cloud
Hinton Blewett
North Widcombe
South Widcombe
Compton Martin
West Harptree
East Harptree
Coley
Sherborne
Litton
Smitham Hill
Eastwood Manor Farm
Greendown
Cheese Dairy
Ford
Chewton Mendip
Bathway
Ston Easton
Clapton
Chilcompton
Emborough
MENDIP HILLS
1066
B3134
Charterhouse
B3371
DANGER AREA
NT Cheddar Gorge
Cheddar
Mendip Forest
NT
Cox's Cave
Jacob's Ladder
Bradley Cross
B3135
Draycott Sleights
Draycott
Priddy
B3151
Nyland Hill
251
Rodney Stoke
11
Green Ore
East End
B3139
Downside
Stratton-on-the-Fosse
B3139
A367
Charlton
Holcombe
B3356
Gurney Slade
Binegar
Ebbor Gorge
Ebbor Rocks
NT
Wookey Hole
Wookey Hole Caves & Mill
Biddle Combe
West Horrington
Cocklake
Westbury-sub-Mendip
R. Axe
16
15
Easton
A371
Walcombe
Milton Lodge
Haybridge
Cath.
Wells
East Horrington
Maesbury Castle
Ashwick
Nettlebridge
Oakhill
Leigh-upon-Mendip
Stoke St. Michael
Coleford
Theale
Bagley
Mudgley
Panborough
Bleadney
Wookey
Henton
2
Yarley
B3139
Mill
Burcott
Dulcote
NT Dinder
Croscombe
Old Hall
Shepton Mallet
Bowlish
A37
Downside
Waterlip
Dean
Chelynch
Cranmore Tower
East Cranmore
West Cranmore
Doulting
Charlton
East Somerset Railway
Signal Box
Chesterblade
Higher Alham
Castle
Upper Godney
Lower Godney
Polsham
Southway
Coxley
Launcherley
A371
Worminster
West Compton
North Wootton
B3136
East Compton
A39
Meare
Meare Fish House
Oxenpill
Stileway
B3151
Tribunal
Vineyard
SOMERSET
A361
Pilton
Royal Bath & West of England Showground
Prestleigh
Evercreech
Westcombe
Rural Life
Glastonbury Tor NT
Glastonbury
Abbey
Norwood Park
NT
Edgarley
Sticklinch
West Pennard
Street on the Fosse
Pylle
Stoney Stratton
B3081
Northover
Ashcott
A39
Walton
Street
Shoe
Havyatt
Court Barn NT
West Bradley
Withial Copse
East Pennard
Parbrook
Huxham Green
Wraxall
Ditcheat
Milton Clevedon
Lamyatt
A371
Overleigh
3
NT
Moor
Butleigh Wootton
Baltonsborough
Ham Street
Lottisham
Stone
Alhampton
Wyke Champflower
Sutton
Butleigh
Southwood
Hornblotton Green
Clanville
Ansford
Cole
Pitcombe
B3151
Compton Dundon
Dundon
Barton St. David
Lydford Fair Place
14
Alford
Castle Cary
B3152
Cary
R. Brue
B3153
Dimmer
East Lydford
West Lydford
Kingweston
7
River Cary
Littleton
Hurcott
Keinton Mandeville
Lovington
North Barrow
Hapspen
Shepton Montague
B3153
A
A37
26
Galhampton
B
Yarlington
Westcombe
Somerton
Pitney
Foddington
South Barrow
Charlton Mackrell
Charlton Adam
Babcary
Lyte's Cary Manor NT
A359
North Cadbury
Woolston
A303
A371
Midney
B3153
Upton
Kingsdon
Haynes Motor
Sparkford
South Hill
A372
Blackford
Holton
Pibsbury
Cadbury

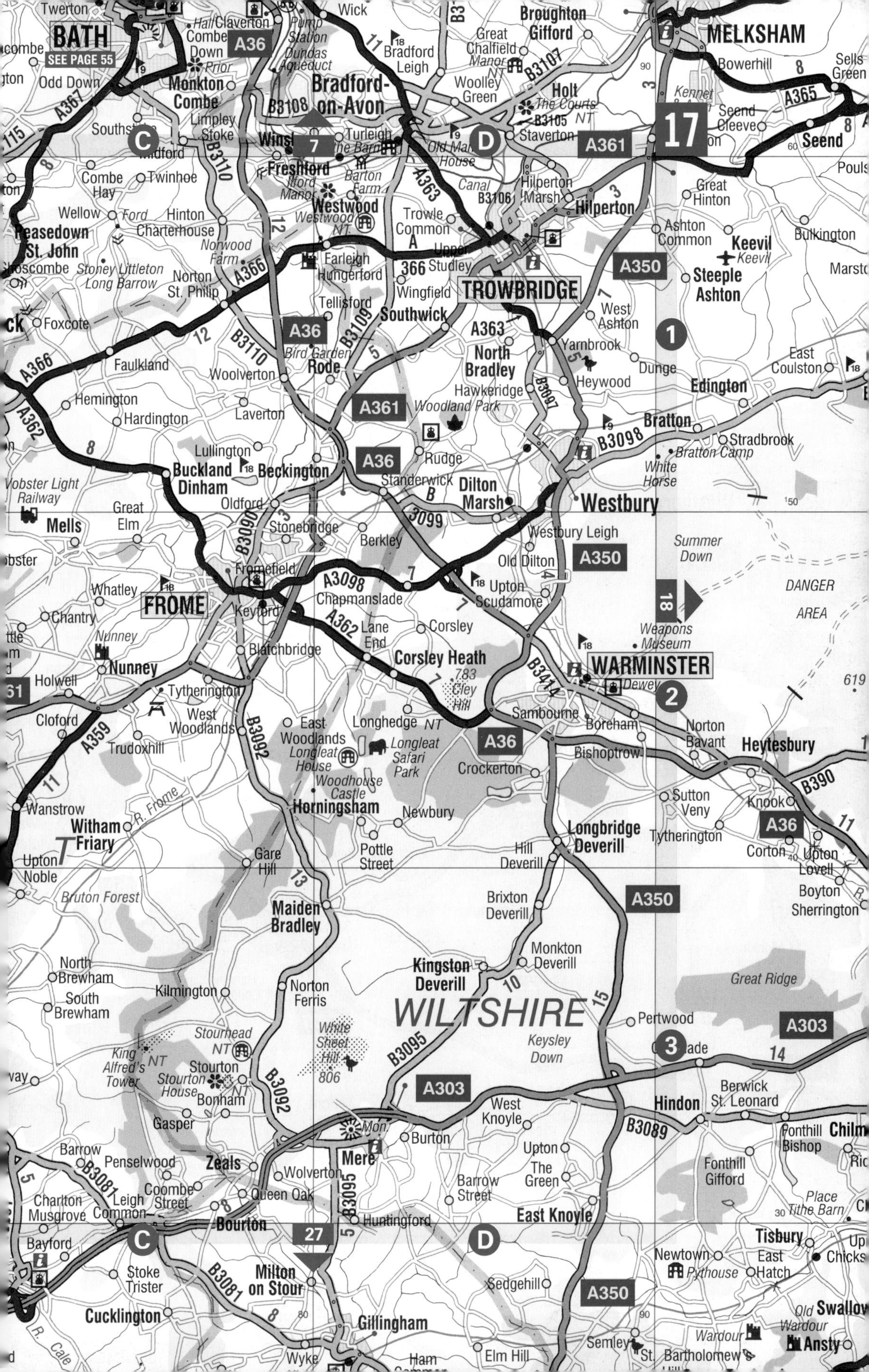

Twerton
BATH
SEE PAGE 55
Hall
Claverton
Combe Down
Prior
Pump Station
Dundas Aqueduct
Wick
A36
Bradford Leigh
Broughton Gifford
Great Chalfield Manor NT
B3107
Melksham
Bowerhill
Sells Green
Odd Down
Monkton Combe
Limpley Stoke
Bradford-on-Avon
B3108
Woolley Green
Holt
The Courts NT
B3105
Staveton
A361
Kennet
Semington
Seend Cleeve
A365
Seend
17
A367
Southstoke
Midford
C
Winsley
7
Turleigh
The Barn
Old Manor House
D
Freshford
Iford Manor
Barton Farm
A363
Canal
Hilperton Marsh
B3106
Hilperton
Great Hinton
Poulshot
Combe Hay
Twinhoe
B3110
Westwood
Westwood NT
Trowle Common
Wellow
Ford
Hinton Charterhouse
Peasedown St. John
Norwood Farm
Ashton Common
Keevil
Bulkington
Upper Studley
A366
366
Farleigh Hungerford
TROWBRIDGE
A350
Stoney Littleton Long Barrow
Norton St. Philip
Wingfield
Steeple Ashton
Marston
Foxcote
Tellisford
Southwick
West Ashton
A36
B3109
A363
1
Bird Garden
Faulkland
12
B3110
Rode
North Bradley
Yarnbrook
A366
Woolverton
Dunge
East Coulston
Heywood
Edington
Hemington
Hawkeridge
B3097
A361
Woodland Park
Bratton
Hardington
Laverton
A362
Stradbrook
Bratton Camp
Lullington
B3098
Buckland Dinham
Beckington
A36
Rudge
White Horse
Vobster Light Railway
Standerwick
Dilton Marsh
Westbury
Great Elm
Oldford
B3099
Mells
Stonebridge
Berkley
Westbury Leigh
Summer Down
B3090
Old Dilton
A350
Frome field
A3098
Upton Scudamore
DANGER AREA
Whatley
FROME
Chapmanslade
18
Keyford
Chantry
A362
Lane End
Corsley
Weapons Museum
Nunney
Blatchbridge
Corsley Heath
WARMINSTER
783 Cley Hill
Dewey
619
Holwell
Tytherington
B3414
2
Cloford
West Woodlands
East Woodlands
Longhedge NT
Sambourne
Boreham
Norton Bavant
Heytesbury
A359
Trudoxhill
B3092
Longleat House
Longleat Safari Park
A36
Bishopstrow
Crockerton
B390
Woodhouse Castle
Sutton Veny
Knook
Wanstrow
R. Frome
Horningsham
Newbury
A36
Witham Friary
Longbridge Deverill
Tytherington
Hill Deverill
Corton
Upton Lovell
Upton Noble
Gare Hill
Pottle Street
13
Boyton
Bruton Forest
Maiden Bradley
Brixton Deverill
A350
Sherrington
North Brewham
Monkton Deverill
Kingston Deverill
Great Ridge
South Brewham
Kilmington
Norton Ferris
10
15
WILTSHIRE
Pertwood
A303
Stourhead NT
White Sheet Hill 806
Keysley Down
3
Chicklade
King Alfred's Tower NT
B3095
14
Stourton
Stourton House
Bonham
A303
Berwick St. Leonard
West Knoyle
Hindon
B3092
Gasper
Mon.
Burton
B3089
Fonthill Bishop
Chilmark
Barrow
Penselwood
Zeals
Mere
Upton
Fonthill Gifford
B3081
Wolverton
The Green
Coombe Street
Queen Oak
B3095
Barrow Street
Place Tithe Barn
Charlton Musgrove
Leigh Common
Bourton
East Knoyle
Huntingford
C
27
D
Tisbury
Bayford
Newtown
East Hatch
Chicksgrove
Pythouse
Stoke Trister
B3081
Milton on Stour
Sedgehill
A350
Cucklington
Gillingham
Old Wardour
Swallowcliffe
Wardour
R. Cale
Wyke
Ham
Elm Hill
Semley
St. Bartholomew
Ansty

18
Broughton Gifford
Great Chalfield Manor NT
A3102
MELKSHAM
Bowerhill
B3107
Woolley Green
Holt
The Courts NT
B3105
Staverton
Semington
A361
Canal
B3106
Hilperton Marsh
Hilperton
Kennet & Avon Canal
Seend Cleeve
A365
Sells Green
Rowde
Lock Flight
A361
A
Roundway Hill Covert Countryside Trail
Roundway
A342
Dunkirk
DEVIZES
Nursteed
8
Bishops Cannings
Horton
Allington
Tan Hill
Coate
All Cannings
Kennet & Avon Canal
VALE OF
B
Stert
Beechingstoke
Poulshot
Broadlees
Great Hinton
Ashton Common
Keevil
Bulkington
Potterne
A360
Porch House
Potterne Wick
Worton
Marston
Urchfont
Patney
Wedhampton
R. Avon
Chirton
Conock
B3098
Eastcott
DANGER AREA
TROWBRIDGE
A350
Steeple Ashton
West Ashton
A363
North Bradley
Yarnbrook
1
Heywood
Hawkeridge
B3097
Edington
East Coulston
Great Cheverell
Erlestoke
Little Cheverell
Littleton Pannell
Easterton
Market Lavington
West Lavington
Bratton
B3098
Stradbrook
Bratton Camp
White Horse
WILTSHIRE
Littleton Down
Black Heath
DANGER AREA
Dilton Marsh
Westbury
Westbury Leigh
Old Dilton
Upton Scudamore
A350
17
Summer Down
Imber
West Lavington Down
DANGER AREA
Weapons Museum
SALISB
13 A360
Tilshead
West Down
Orceston Down
White Barrow NT
DANGER AREA
Orcheston
Elston
Maddington
Shrewton
Heath
Cley Hill
WARMINSTER
2
Boreham
Sambourne
B3414
A36
Crockerton
Bishoptrow
Norton Bavant
Heytesbury
619
Chitterne
B390
B390
Sutton Veny
Knook
A36
Tytherington
Corton
Longbridge Deverill
Hill Deverill
Upton Lovell
Codford St. Peter
Codford St. Mary
PLAIN
B3083
Parsonage Down
Winterbourne Stoke
Berwick St. James
Brixton Deverill
A350
Boyton
Sherrington
R. Wylye
Fisherton de la Mere
Bapton
Stockton
Deptford
Steeple Langford
Over Street
B3083
Stapleford
Monkton Deverill
Great Ridge
Wylye
Wylye Down
Valley
Hanging Langford
Little Langford
Pertwood
3
Chicklade
Keysley Down
A303
A303
Great Wishford
Grovely Wood
West Knoyle
Hindon
Berwick St. Leonard
B3089
Farmer Giles Farmstead
Teffont Magna
NT Philipps House
Little Clarendon NT
Chilhampton
Upton
The Green
Barrow Street
Fonthill Gifford
Ponthill Bishop
Chilmark
Ridge
Fitz House
Teffont Evias
Dinton
Baverstock
Ditchampton
Ugford
East Knoyle
Place Tithe Barn
Lower Chicksgrove
R. Nadder
B3089
Compton Chamberlayne
Barford St. Martin
A30
Burcombe
Wilton House
Tisbury
A
Upper Chicksgrove
28
Fovant
B
Newtown
Pythouse
East Hatch
Sutton Mandeville
Regimental Badges (Chalk)
Sedgehill
A350
Old Wardour
Swallowcliffe
Chiselbury Hill Fort
Wardour
Ansty
Regimental Badges
Semley
St. Bartholomew's
Elm Hill
Bishopstone
R. Ebble

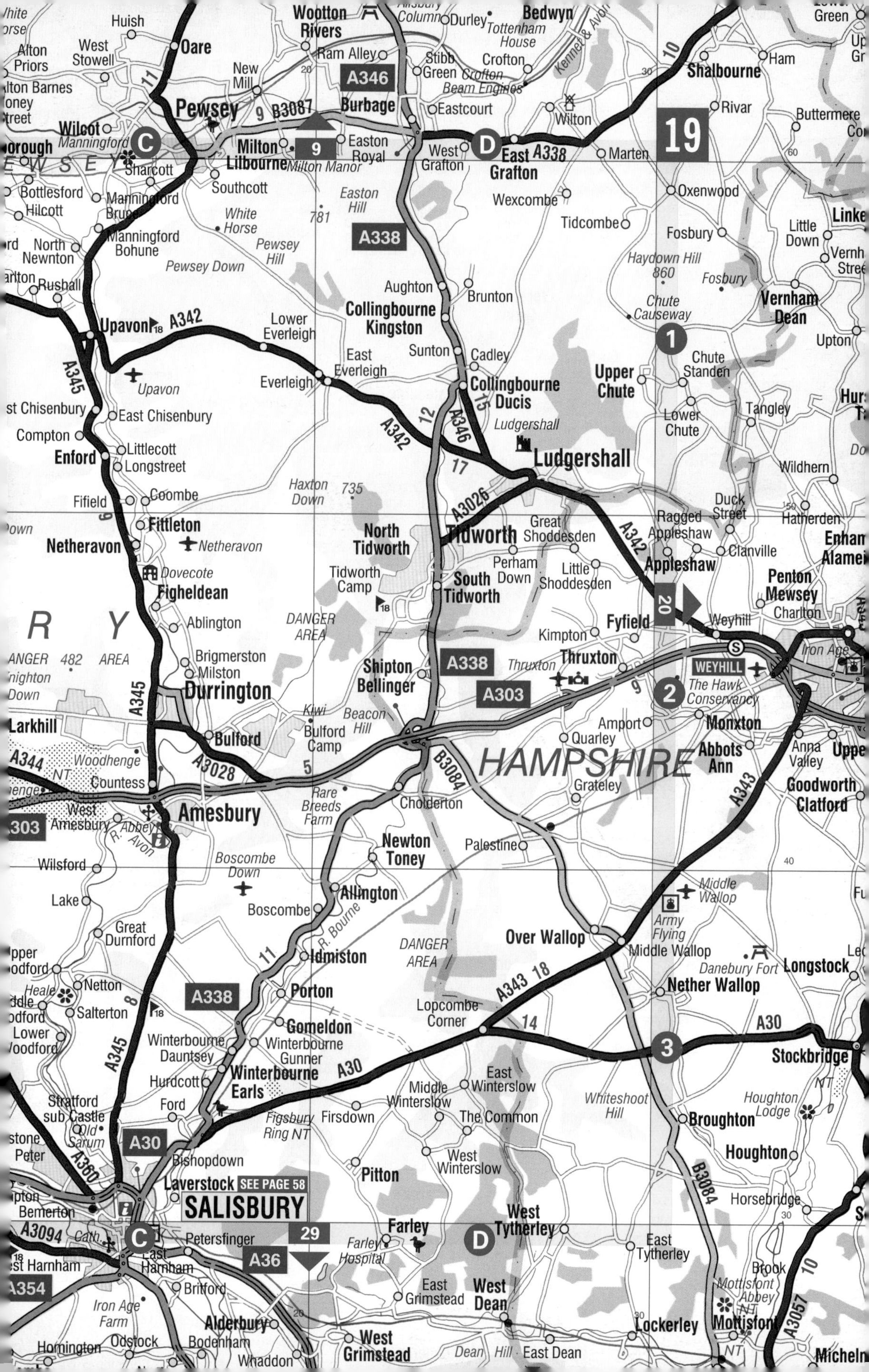
Huish
Oare
Wootton Rivers
Column
Durley
Bedwyn
Tottenham House
Kennet & Avon
Green
Alton Priors
West Stowell
Ram Alley
Stibb Green
Crofton
Crofton Beam Engines
Ham
Shalbourne
10
New Mill
A346
20
30
Pewsey
Burbage
Eastcourt
Wilton
Rivar
Buttermere
Wilcot
9
B3087
19
Manningford
C
Milton Lilbourne
9
Easton Royal
West Grafton
D
East Grafton
A338
Marten
60
Sharcott
Milton Manor
Bottlesford
Southcott
Oxenwood
Hilcott
Manningford Bruce
Easton Hill
Wexcombe
White Horse
781
Tidcombe
Fosbury
Little Down
North Newnton
Manningford Bohune
Pewsey Hill
A338
Haydown Hill
860
Fosbury
Rushall
Pewsey Down
Aughton
Brunton
Chute Causeway
Vernham Dean
Upavon
18
A342
Lower Everleigh
Collingbourne Kingston
1
Upton
Sunton
Cadley
Chute Standen
East Everleigh
Everleigh
Collingbourne Ducis
Upper Chute
A345
Upavon
15
Lower Chute
Tangley
East Chisenbury
12
A346
Ludgershall
Compton
A342
Enford
Littlecott
Longstreet
17
Ludgershall
Wildhern
Haxton Down
735
A3026
Fifield
Coombe
Duck Street
Ragged Appleshaw
50
Hatherden
Fittleton
North Tidworth
Tidworth
Great Shoddesden
A342
Netheravon
Netheravon
Clanville
Appleshaw
Perham Down
Little Shoddesden
Penton Mewsey
Charlton
Dovecote
Tidworth Camp
South Tidworth
Figheldean
18
20
Fyfield
Weyhill
Ablington
DANGER AREA
Kimpton
R
Y
Iron Age
ANGER
482
AREA
Brigmerston
Milston
Shipton Bellinger
A338
Thruxton
Thruxton
WEYHILL
The Hawk Conservancy
Durrington
A345
A303
9
2
Kiwi
Beacon Hill
Larkhill
Bulford Camp
Amport
Quarley
Monxton
Abbots Ann
Anna Valley
Bulford
A344
Woodhenge
A3028
5
B3084
HAMPSHIRE
NT
Countess
Grateley
Goodworth Clatford
Rare Breeds Farm
Cholderton
A343
West Amesbury
Amesbury
Abbey
R. Avon
Newton Toney
Palestine
40
Wilsford
Boscombe Down
Middle Wallop
Lake
Allington
Army Flying
R. Bourne
Boscombe
Great Durnford
Over Wallop
DANGER AREA
11
Idmiston
Middle Wallop
Danebury Fort
Longstock
Heale
Netton
A338
Porton
A343
18
Nether Wallop
8
Salterton
18
Lopcombe Corner
A30
14
Lower Woodford
Gomeldon
Winterbourne Dauntsey
Winterbourne Gunner
3
Stockbridge
A345
East Winterslow
Hurdcott
Winterbourne Earls
A30
Middle Winterslow
Whiteshoot Hill
NT
Stratford sub Castle
Ford
Houghton Lodge
Old Sarum
Figsbury Ring NT
Firsdown
The Common
Broughton
Peter
A30
A360
Bishopdown
West Winterslow
Houghton
Pitton
B3084
Laverstock
SEE PAGE 58
Bemerton
SALISBURY
Horsebridge
West Tytherley
30
Farley
A3094
Cath.
C
Petersfinger
29
Farley Hospital
D
East Tytherley
East Harnham
A36
Brook
10
A354
Britford
East Grimstead
West Dean
Mottisfont Abbey
NT
Iron Age Farm
Alderbury
20
30
Lockerley
Mottisfont
A3057
Homington
Odstock
Bodenham
Whaddon
West Grimstead
Dean Hill
East Dean
NT

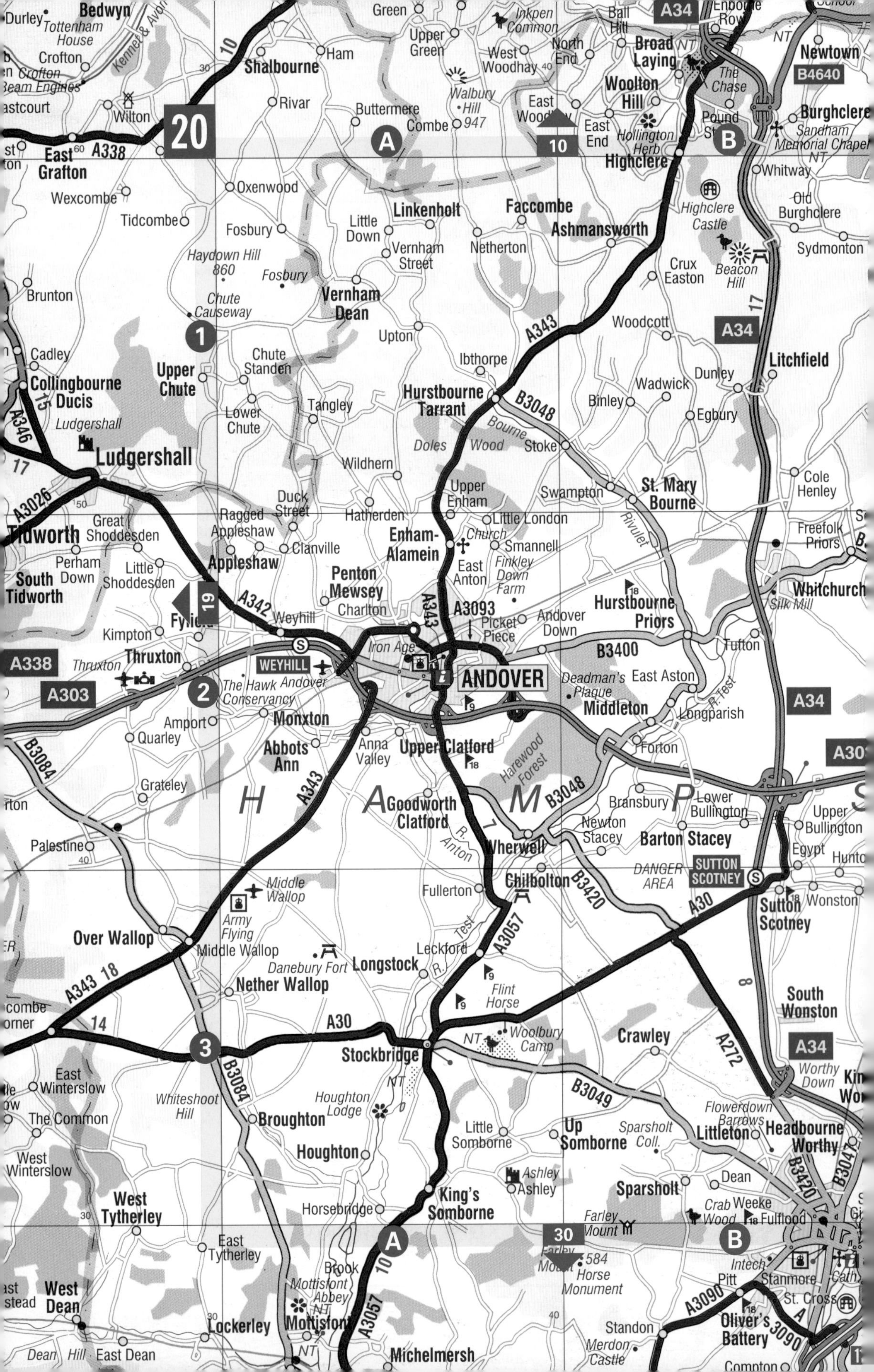

Durley
Bedwyn
Tottenham House
Kennet & Avon
Crofton
Crofton Beam Engines
Eastcourt
Wilton
Shalbourne
Ham
Rivar
Green
Upper Green
Inkpen Common
West Woodhay
Ball Hill
North End
A34
Enborne Row
Broad Laying
NT
Newtown
B4640
Walbury Hill 947
Buttermere
Combe
East Woodhay
Woolton Hill
The Chase
20
A
10
East End
Hollington Herb
Highclere
Pound St
B
Burghclere
Sandham Memorial Chapel NT
East Grafton
A338
Oxenwood
Whitway
Wexcombe
Tidcombe
Linkenholt
Faccombe
Highclere Castle
Old Burghclere
Fosbury
Little Down
Ashmansworth
Vernham Street
Netherton
Sydmonton
Haydown Hill 860
Fosbury
Crux Easton
Beacon Hill
Brunton
Chute Causeway
Vernham Dean
1
Upton
A343
Woodcott
A34
17
Cadley
Chute Standen
Ibthorpe
Litchfield
Collingbourne Ducis
Upper Chute
Hurstbourne Tarrant
Wadwick
Dunley
Binley
Egbury
B3048
A346
Lower Chute
Tangley
Ludgershall
Ludgershall
Doles Wood
Bourne
Stoke
Wildhern
Cole Henley
A3026
Upper Enham
Swampton
St. Mary Bourne
Tidworth
Great Shoddesden
Ragged Appleshaw
Duck Street
Hatherden
Little London
Freefolk Priors
Perham Down
Appleshaw
Clanville
Enham-Alamein
Church
Smannell
South Tidworth
Little Shoddesden
Penton Mewsey
East Anton
Finkley Down Farm
Whitchurch
Silk Mill
19
Fyfield
A342
Weyhill
Charlton
A343
A3093
Hurstbourne Priors
Picket Piece
Andover Down
Kimpton
Thruxton
Iron Age
B3400
Tufton
A338
Thruxton
WEYHILL
ANDOVER
Deadman's Plaque
East Aston
A303
2
The Hawk Conservancy
Andover
Middleton
Longparish
A34
Amport
Monxton
Quarley
Abbots Ann
Anna Valley
Upper Clatford
Forton
B3084
Harewood Forest
Grateley
A343
H
A
Goodworth Clatford
M
B3048
Bransbury
P
Lower Bullington
Upper Bullington
Newton Stacey
Barton Stacey
Egypt
R. Anton
Wherwell
Palestine
SUTTON SCOTNEY
DANGER AREA
Chilbolton
B3420
Hunton
Middle Wallop
Army Flying
Fullerton
Wonston
Sutton Scotney
A30
Over Wallop
Middle Wallop
A3057
Leckford
R. Test
Danebury Fort
Longstock
A343
Nether Wallop
Flint Horse
South Wonston
A30
NT
Woolbury Camp
Crawley
A272
3
Stockbridge
A34
Worthy Down
East Winterslow
B3084
NT
B3049
Whiteshoot Hill
Houghton Lodge
Flowerdown Barrows
The Common
Broughton
Little Somborne
Up Somborne
Sparsholt Coll.
Littleton
Headbourne Worthy
West Winterslow
Houghton
B3420
B3047
Ashley
Ashley
Dean
Sparsholt
West Tytherley
King's Somborne
Horsebridge
Crab Wood
Weeke
Fulflood
Farley Mount
30
A
B
East Tytherley
Brook
Farley Mount
584 Horse Monument
Intech
Mottisfont Abbey NT
Pitt
Stanmore
St. Cross
A3090
West Dean
A3057
Oliver's Battery
Lockerley
Mottisfont
Standon
Merdon Castle
Dean
Hill
East Dean
NT
Michelmersh
Compton

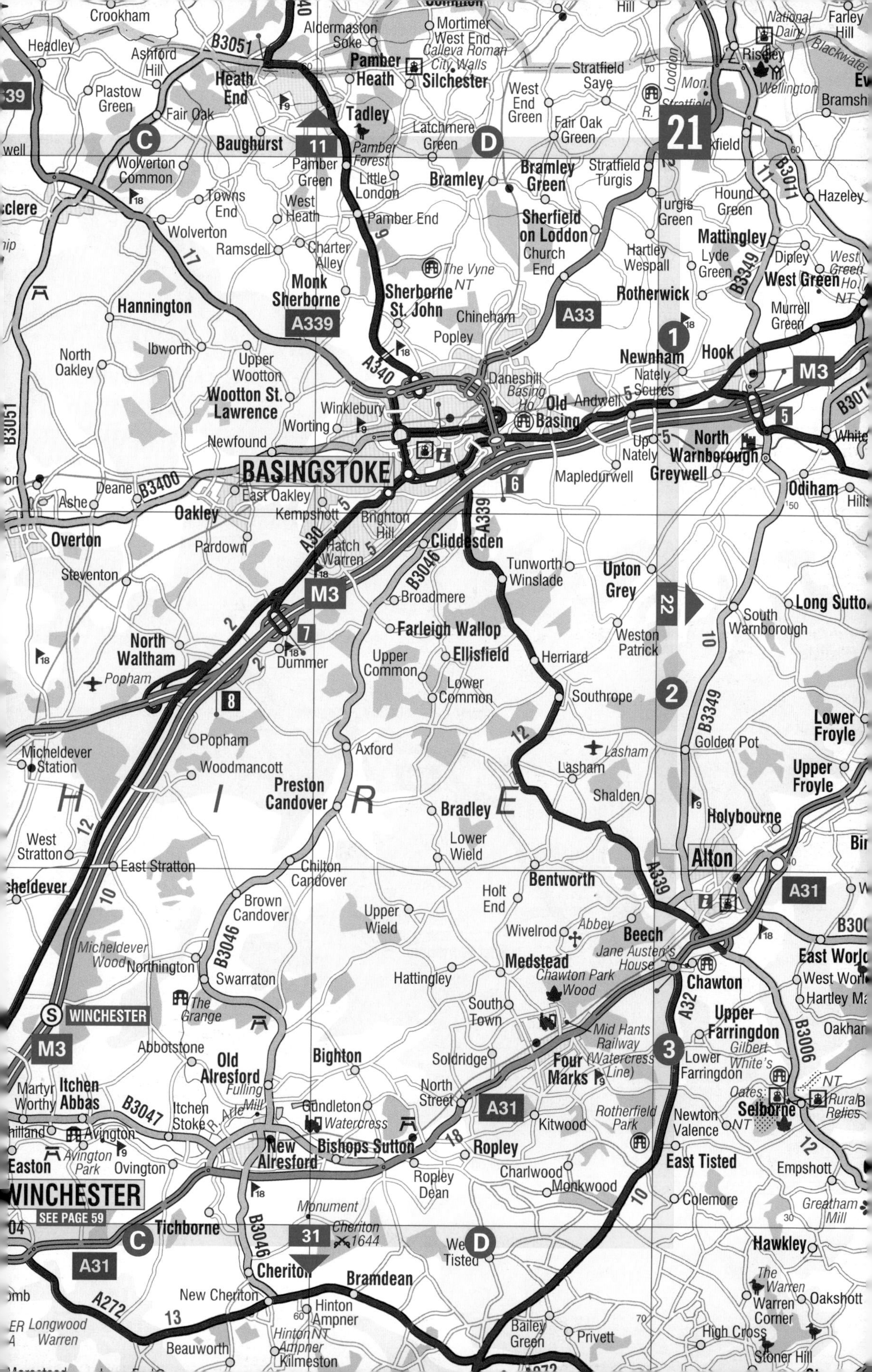
Crookham
Aldermaston Soke
Mortimer West End
Calleva Roman City Walls
Hill
National Dairy
Farley Hill
Headley
Ashford Hill
B3051
Pamber Heath
Silchester
Stratfield Saye
Riseley
Blackwater
Heath End
Plastow Green
Tadley
West End Green
Loddon
Mon.
Wellington
Fair Oak
Latchmere Green
Fair Oak Green
Bramshill
C
D
21
Baughurst
11
Pamber Forest
Wolverton Common
Pamber Green
Little London
Bramley
Bramley Green
Stratfield Turgis
B3011
Hazeley
Towns End
West Heath
Pamber End
Sherfield on Loddon
Turgis Green
Hound Green
Wolverton
Ramsdell
Charter Alley
Church End
Hartley Wespall
Mattingley
Lyde Green
Dipley
West Green
17
The Vyne NT
Monk Sherborne
Sherborne St. John
Rotherwick
B3349
West Green Ho NT
Hannington
A339
Chineham
A33
Murrell Green
1
Ibworth
Popley
North Oakley
Upper Wootton
A340
Newnham
Hook
Daneshill
Nately Scures
M3
Wootton St. Lawrence
Basing Ho
Old Basing
Andwell
B3051
Winklebury
Worting
Newfound
Up Nately
North Warnborough
BASINGSTOKE
Mapledurwell
Greywell
Odiham
Deane
B3400
Ashe
East Oakley
6
Kempshott
Brighton Hill
Oakley
Overton
Pardown
A30
Hatch Warren
Cliddesden
Steventon
Tunworth
Winslade
Upton Grey
B3046
M3
Broadmere
22
Long Sutton
South Warnborough
Farleigh Wallop
North Waltham
7
Dummer
Weston Patrick
Upper Common
Ellisfield
Herriard
Popham
Lower Common
2
Southrope
8
Lower Froyle
Popham
Axford
B3349
Golden Pot
Lasham
Micheldever Station
Woodmancott
Lasham
Upper Froyle
Preston Candover
Shalden
H
I
R
E
Bradley
Holybourne
West Stratton
Lower Wield
Alton
East Stratton
Chilton Candover
Bentworth
Micheldever
A31
Brown Candover
Holt End
Upper Wield
Wivelrod
Abbey
Beech
B3046
Micheldever Wood
Northington
Medstead
Jane Austen's House
Chawton
East Worldham
West Worldham
Hartley Mauditt
Swarraton
Hattingley
Chawton Park Wood
The Grange
South Town
A32
Upper Farringdon
Oakhanger
WINCHESTER
Mid Hants Railway
3
M3
Abbotstone
Old Alresford
Bighton
Soldridge
Four Marks
(Watercress Line)
Lower Farringdon
Gilbert White's
B3006
Fulling Mill
Martyr Worthy
Itchen Abbas
North Street
Oates
NT
Rural Relics
B3047
Itchen Stoke
Gundleton
Watercress
A31
Kitwood
Rotherfield Park
Newton Valence
Selborne
Avington
NT
Easton
Avington Park
Ovington
New Alresford
Bishops Sutton
18
Ropley
East Tisted
Empshott
Ropley Dean
Charlwood
Monkwood
WINCHESTER
SEE PAGE 59
Colemore
Greatham Mill
Monument
Tichborne
31
Cheriton 1644
D
West Tisted
Hawkley
A31
B3046
Cheriton
Bramdean
The Warren
New Cheriton
Hinton Ampner
Oakshott
A272
13
Warren Corner
Longwood Warren
Hinton Ampner NT
Bailey Green
Privett
High Cross
Beauworth
Kilmeston
Stoner Hill

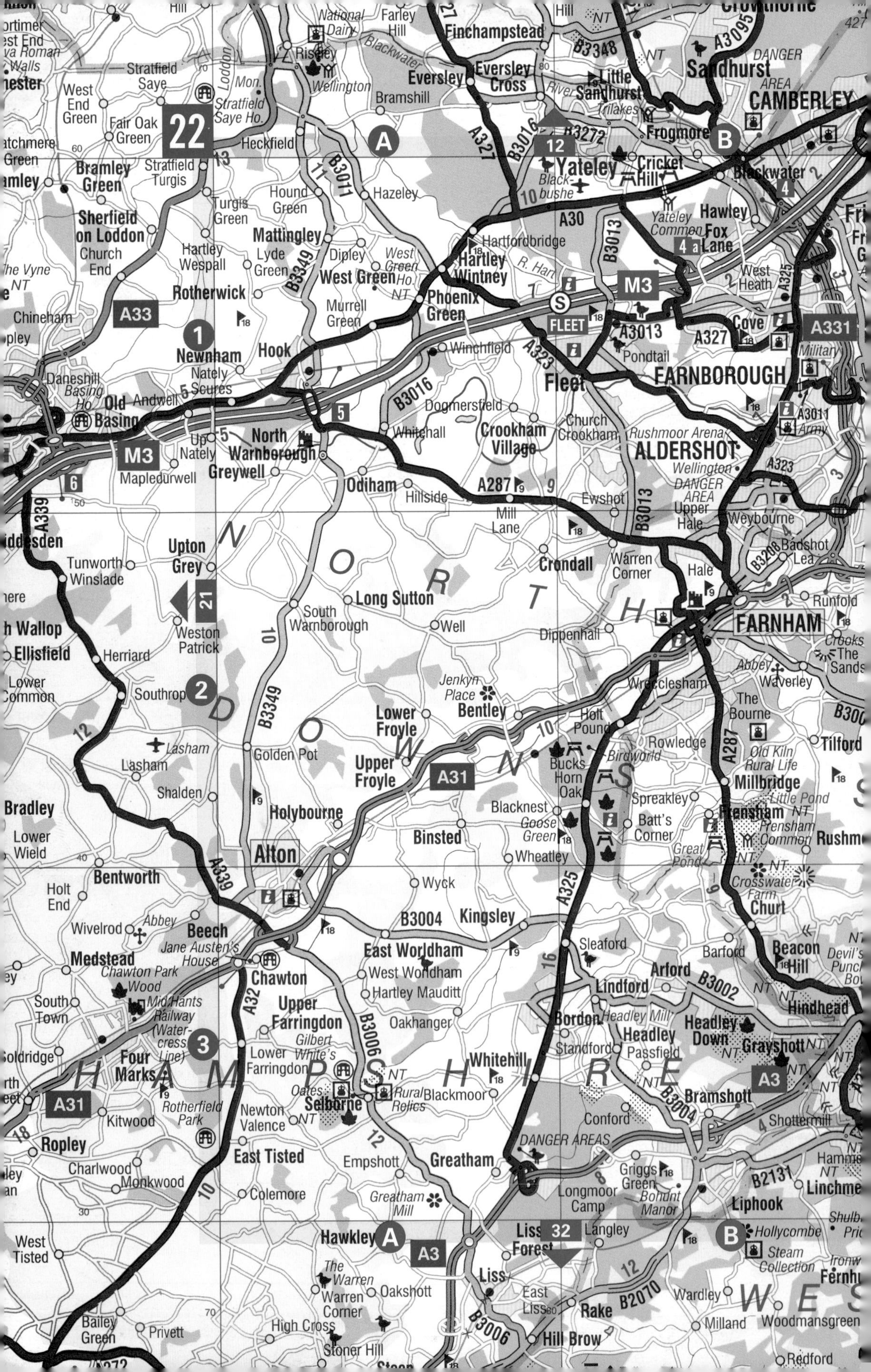

22
Stratfield Saye
Heckfield
Eversley
Finchampstead
Sandhurst
CAMBERLEY
Yateley
Blackwater
Hartley Wintney
Hook
Newnham
Old Basing
M3
A33
FLEET
Fleet
FARNBOROUGH
ALDERSHOT
North Warnborough
Odiham
Crondall
FARNHAM
21
Alton
A31
Bentley
Chawton
Selborne
A3
Liphook
Liss
32
Bordon
Headley
Whitehill
Ropley
Four Marks
Medstead
Hindhead
Churt
Frensham
NORTH DOWNS
HAMPSHIRE

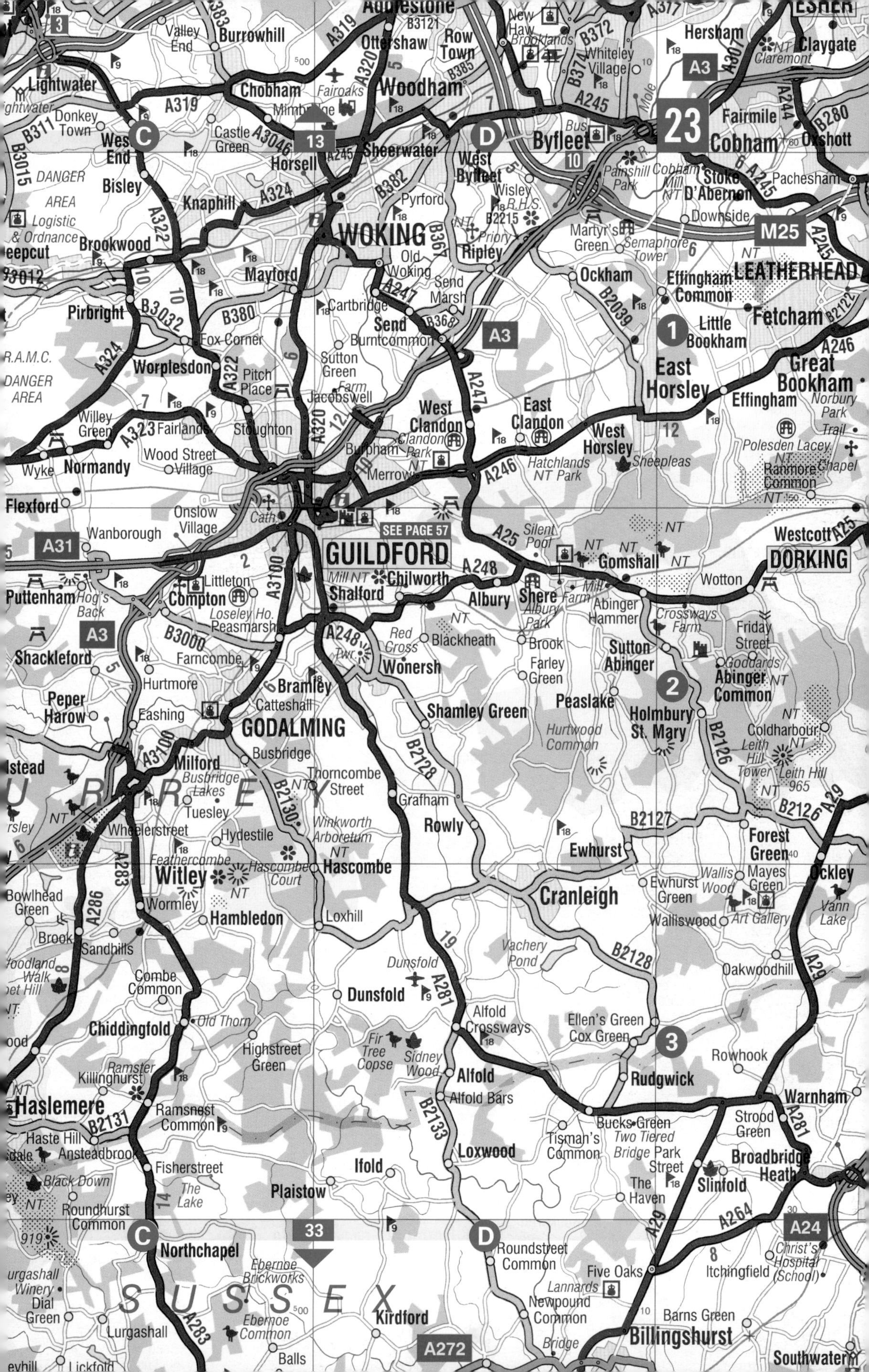

Addlestone
Valley End
Burrowhill
Ottershaw
Row Town
New Haw
Brooklands
Whiteley Village
Hersham
Esher
Claygate
Claremont
Lightwater
Chobham
Fairoaks
Woodham
Mimbridge
Donkey Town
West End
Castle Green
Horsell
Sheerwater
West Byfleet
Byfleet
Fairmile
Cobham
Oxshott
23
13
10
Bisley
Knaphill
Painshill Park
Cobham Mill
Stoke D'Abernon
Pachesham
DANGER AREA
Logistic & Ordnance
Pyrford
Wisley
R.H.S.
Brookwood
WOKING
Ripley
Downside
Priory
Old Woking
Martyr's Green
Semaphore Tower
M25
Mayford
Send Marsh
Ockham
Effingham Common
LEATHERHEAD
Cartbridge
Send
Fetcham
Pirbright
Fox Corner
Burntcommon
Little Bookham
R.A.M.C. DANGER AREA
Worplesdon
Sutton Green
Pitch Place
East Horsley
Great Bookham
Jacobswell
Effingham
Norbury Park
Willey Green
Fairlands
Stoughton
West Clandon
East Clandon
West Horsley
Clandon Park
Polesden Lacey
Wood Street Village
Burpham
Hatchlands NT Park
Sheepleas
Ranmore Common
Wyke
Normandy
Merrow
Flexford
Cath.
Onslow Village
SEE PAGE 57
Silent Pool
Westcott
Wanborough
GUILDFORD
Gomshall
DORKING
Puttenham
Hog's Back
Littleton
Compton
Mill
Chilworth
Shalford
Albury
Shere
Albury Park
Abinger Hammer
Wotton
Loseley Ho.
Reasmarsh
Crossways Farm
Friday Street
Shackleford
Farncombe
Red Cross
Blackheath
Brook
Sutton Abinger
Goddards
Abinger Common
Hurtmore
Wonersh
Farley Green
Bramley
Peper Harow
Eashing
Catteshall
Shamley Green
Peaslake
Holmbury St. Mary
Coldharbour
GODALMING
Hurtwood Common
Busbridge
Leith Hill Tower
Leith Hill
965
Milford
Busbridge Lakes
Thorncombe Street
Elstead
SURREY
Tuesley
Grafham
Rowly
Wheelerstreet
Hydestile
Winkworth Arboretum
Ewhurst
Forest Green
Feathercombe
Hascombe Court
Hascombe
Witley
Mayes Green
Wallis Wood
Ockley
Bowlhead Green
Wormley
Ewhurst Green
Cranleigh
Vann Lake
Hambledon
Loxhill
Walliswood
Art Gallery
Brook
Sandhills
Vachery Pond
Combe Common
Dunsfold
Oakwoodhill
Chiddingfold
Old Thorn
Alfold Crossways
Ellen's Green
Cox Green
Highstreet Green
Fir Tree Copse
Sidney Wood
Rowhook
Ramster
Killinghurst
Alfold
Rudgwick
Haslemere
Alfold Bars
Warnham
Ramsnest Common
Bucks Green
Two Tiered Bridge
Park Street
Strood Green
Haste Hill
Anstead Brook
Fisherstreet
Tisman's Common
Broadbridge Heath
Black Down
Ifold
Loxwood
The Lake
Plaistow
The Haven
Slinfold
Roundhurst Common
919
33
Northchapel
Roundstreet Common
Christ's Hospital (School)
Ebernoe Brickworks
Five Oaks
Itchingfield
Lurgashall Winery
SUSSEX
Lannards
Newpound Common
Dial Green
Lurgashall
Ebernoe Common
Kirdford
Barns Green
Billingshurst
Balls
Bridge
Southwater
Lickfold
A3
A31
A24
A25
A29
A281
A283
A286
A272
A246
A248
A247
A320
A322
A323
A324
A319
A3046
A3100
A245
A244
A264
B2126
B2127
B2128
B2130
B2131
B2133
B2039
B3000
B3032
B380
B382
B367
B368
B2215
B3012
B3015
B311
B372
B374
B385
B3121
B280
B2122

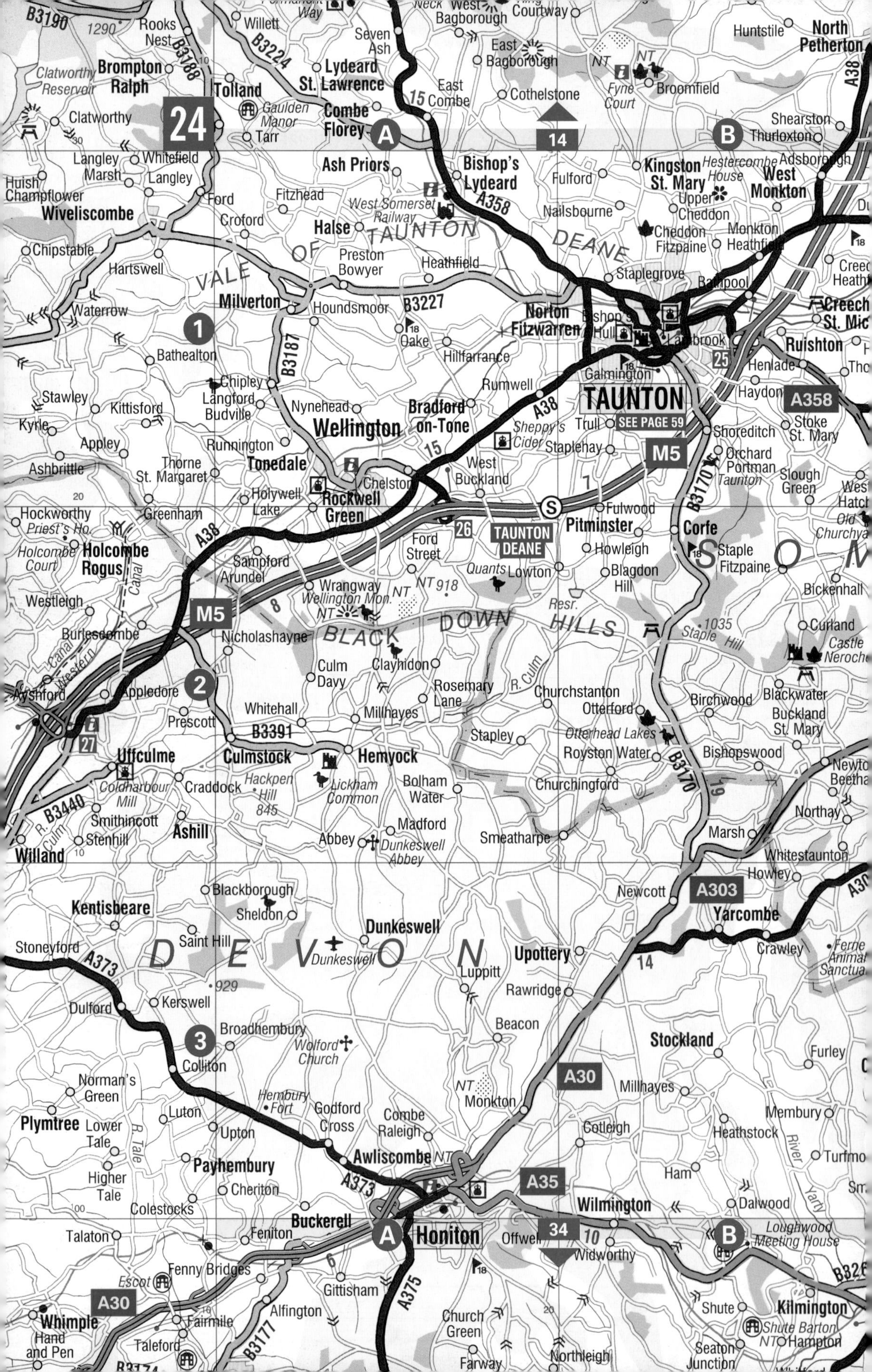

B3190
1290
Rooks Nest
Willett
Seven Ash
West Bagborough
Courtway
Huntstile
North Petherton
B3188
B3224
East Bagborough
NT
NT
Clatworthy Reservoir
Brompton Ralph
Tolland
Lydeard St. Lawrence
East Combe
Cothelstone
Fyne Court
Broomfield
A38
24
Gaulden Manor
Combe Florey
15
Shearston
Clatworthy
Tarr
A
14
B
Thurloxton
Langley Marsh
Whitefield
Ash Priors
Bishop's Lydeard
Fulford
Kingston St. Mary
Hestercombe House
Adsborough
West Monkton
Huish Champflower
Langley
Ford
Fitzhead
West Somerset Railway
A358
Upper Cheddon
Wiveliscombe
Croford
Nailsbourne
Cheddon Fitzpaine
Monkton Heathfield
Chipstable
Halse
VALE OF TAUNTON DEANE
Preston Bowyer
Heathfield
Hartswell
Staplegrove
Bathpool
Creech Heathfield
Milverton
Houndsmoor
B3227
Norton Fitzwarren
Bishop's Hull
Creech St. Michael
Waterrow
1
Oake
Lambrook
Ruishton
Bathealton
Hillfarrance
25
Henlade
B3187
Galmington
Chipley
Rumwell
Haydon
A358
Stawley
Kittisford
Langford Budville
Nynehead
Bradford on-Tone
TAUNTON
Kyrle
Wellington
A38
Trull
SEE PAGE 59
Shoreditch
Stoke St. Mary
Appley
Runnington
Sheppy's Cider
Staplehay
M5
Orchard Portman
Ashbrittle
Thorne St. Margaret
Tonedale
15
West Buckland
Taunton
Slough Green
Chelston
7
B3170
20
Holywell Lake
Rockwell Green
Fulwood
Hockworthy
Priest's Ho.
Greenham
26
TAUNTON DEANE
Pitminster
Corfe
Holcombe Court
Holcombe Rogus
Ford Street
Howleigh
Staple Fitzpaine
A38
Sampford Arundel
Quants
Lowton
Blagdon Hill
Canal
NT 918
Bickenhall
Westleigh
Wrangway
Wellington Mon.
NT
Resr.
M5
8
BLACK DOWN HILLS
1035
Curland
Burlescombe
Nicholashayne
Staple Hill
Castle Neroche
Canal
Western
Culm Davy
Clayhidon
R. Culm
Ayshford
2
Appledore
Rosemary Lane
Churchstanton
Blackwater
Whitehall
Otterford
Birchwood
Buckland St. Mary
Prescott
Millhayes
27
B3391
Stapley
Otterhead Lakes
Royston Water
B3170
Bishopswood
Uffculme
Culmstock
Hemyock
Newton Beetham
Coldharbour Mill
Craddock
Hackpen Hill 845
Lickham Common
Bolham Water
Churchingford
19
B3440
Northay
R. Culm
Smithincott
Madford
Ashill
Stenhill
Abbey
Dunkeswell Abbey
Smeatharpe
Marsh
Willand
10
Whitestaunton
Howley
Blackborough
Newcott
A303
Kentisbeare
Sheldon
Yarcombe
Dunkeswell
Saint Hill
DEVON
Dunkeswell
Upottery
Crawley
Stoneyford
Ferne Animal Sanctuary
A373
Luppitt
14
929
Kerswell
Rawridge
Dulford
Beacon
Broadhembury
3
Wolford Church
Stockland
Furley
Colliton
A30
Norman's Green
NT
Millhayes
Hembury Fort
Monkton
Membury
Plymtree
Lower Tale
Luton
Godford Cross
Combe Raleigh
Cotleigh
R. Tale
Upton
Heathstock
River Yarty
Turfmoor
Higher Tale
Payhembury
Awliscombe
NT
Ham
A35
A373
Cheriton
Wilmington
Dalwood
Colestocks
100
Talaton
Buckerell
Feniton
A
Honiton
Offwell
34
10
B
Loughwood Meeting House
Widworthy
6
Fenny Bridges
Gittisham
A375
B3261
Escot
A30
Alfington
Church Green
Shute
Kilmington
Whimple
Fairmile
Shute Barton
NT
Hand and Pen
Taleford
B3177
Hampton
B3174
Farway
Northleigh
Seaton Junction

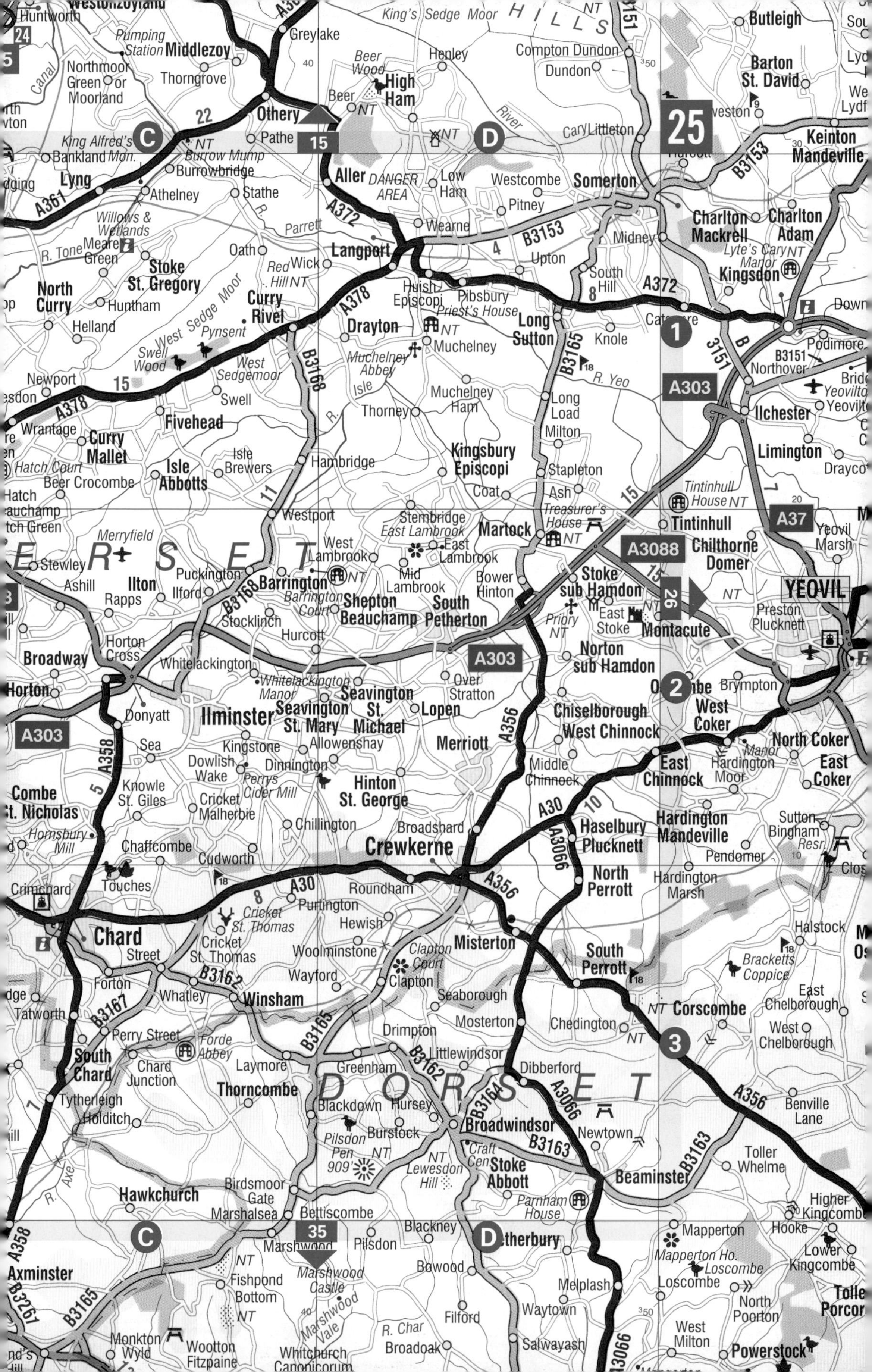

Huntworth
24
Pumping Station
Middlezoy
Greylake
King's Sedge Moor
HILLS
NT
B3151
Butleigh
Barton St. David
Northmoor Green or Moorland
Thorngrove
Canal
Beer Wood
High Ham
Henley
Compton Dundon
Dundon
Beer
NT
Othery
22
C
King Alfred's Mon.
NT
Pathe
15
D
River
Cary
Littleton
25
Keinton Mandeville
Bankland
Burrow Mump
Burrowbridge
Lyng
A361
Athelney
Stathe
Aller
DANGER AREA
Low Ham
Westcombe
Somerton
B3153
Willows & Wetlands
R. Parrett
A372
Pitney
Wearne
Charlton Mackrell
Charlton Adam
R. Tone
Meare Green
Oath
Langport
4
B3153
Midney
Lyte's Cary Manor
NT
Stoke St. Gregory
Red Hill
NT
Wick
Upton
Kingsdon
North Curry
Huntham
West Sedge Moor
Curry Rivel
Pynsent
A378
Huish Episcopi
Pibsbury
Priest's House
South Hill
8
A372
Drayton
NT
Long Sutton
Catsgore
1
Helland
Swell Wood
Muchelney
Knole
B3151
Podimore
Northover
West Sedgemoor
Muchelney Abbey
B3165
R. Yeo
A303
Newport
15
Isle
Swell
Muchelney Ham
Long Load
Ilchester
Yeovilton
A378
Wrantage
Curry Mallet
Fivehead
Thorney
Milton
Limington
Hatch Court
Isle Abbotts
Isle Brewers
Hambridge
Kingsbury Episcopi
Stapleton
Draycott
Beer Crocombe
11
Coat
Ash
Tintinhull House
NT
15
Hatch Beauchamp
Westport
Stembridge
East Lambrook
Treasurer's House
Tintinhull
A37
Yeovil Marsh
Merryfield
West Lambrook
East Lambrook
Martock
NT
A3088
Chilthorne Domer
SOMERSET
Stewley
Ashill
Ilton
Puckington
Ilford
Barrington
NT
Mid Lambrook
Bower Hinton
Stoke sub Hamdon
26
NT
YEOVIL
Rapps
B3168
Barrington Court
Shepton Beauchamp
South Petherton
Priory
NT
East Stoke
Montacute
Preston Plucknett
Horton Cross
Stocklinch
Hurcott
A303
Norton sub Hamdon
Broadway
Whitelackington
Whitelackington Manor
Over Stratton
Brympton
Horton
Seavington St. Michael
Lopen
Chiselborough
2
West Coker
Donyatt
Ilminster
Seavington St. Mary
A356
West Chinnock
A303
Kingstone
Allowenshay
Merriott
North Coker
Sea
East Chinnock
Hardington Moor
East Coker
A358
Dowlish Wake
Dinnington
Middle Chinnock
Manor
Combe St. Nicholas
Knowle St. Giles
Perrys Cider Mill
Hinton St. George
A30
10
Cricket Malherbie
Haselbury Plucknett
Hardington Mandeville
Sutton Bingham
Hornsbury Mill
Chillington
Broadshard
A3066
Resr.
Chaffcombe
Crewkerne
Pendomer
Cudworth
North Perrott
Hardington Marsh
Closworth
Crimchard
Touches
A30
Roundham
A356
8
Purtington
Cricket St. Thomas
Hewish
Chard
Misterton
Halstock
Cricket St. Thomas
Woolminstone
Clapton Court
South Perrott
Street
Brackets Coppice
B3162
Wayford
Clapton
Forton
Whatley
Winsham
Seaborough
East Chelborough
Tatworth
B3167
NT
Corscombe
Perry Street
Forde Abbey
B3165
Mosterton
Drimpton
Chedington
NT
West Chelborough
South Chard
Chard Junction
Laymore
Littlewindsor
3
Greenham
B3162
Dibberford
Thorncombe
DORSET
A3066
Tytherleigh
Holditch
Blackdown
Hursey
B3164
A356
Benville Lane
Burstock
Broadwindsor
Pilsdon Pen 909'
NT
B3163
Newtown
Craft Cen.
Lewesdon Hill
NT
Stoke Abbott
Toller Whelme
R. Axe
B3163
Beaminster
Hawkchurch
Birdsmoor Gate
Parnham House
Higher Kingcombe
Marshalsea
Bettiscombe
Hooke
A358
C
35
Blackney
D
Netherbury
Mapperton
Pilsdon
Marshwood
Lower Kingcombe
Axminster
NT
Mapperton Ho.
Loscombe
Marshwood Castle
Bowood
Fishpond Bottom
Melplash
Loscombe
B3261
B3165
NT
Marshwood Vale
Filford
Waytown
North Poorton
Toller Porcorum
R. Char
West Milton
Monkton Wyld
Wootton Fitzpaine
Whitchurch Canonicorum
Broadoak
Salwayash
A3066
Powerstock

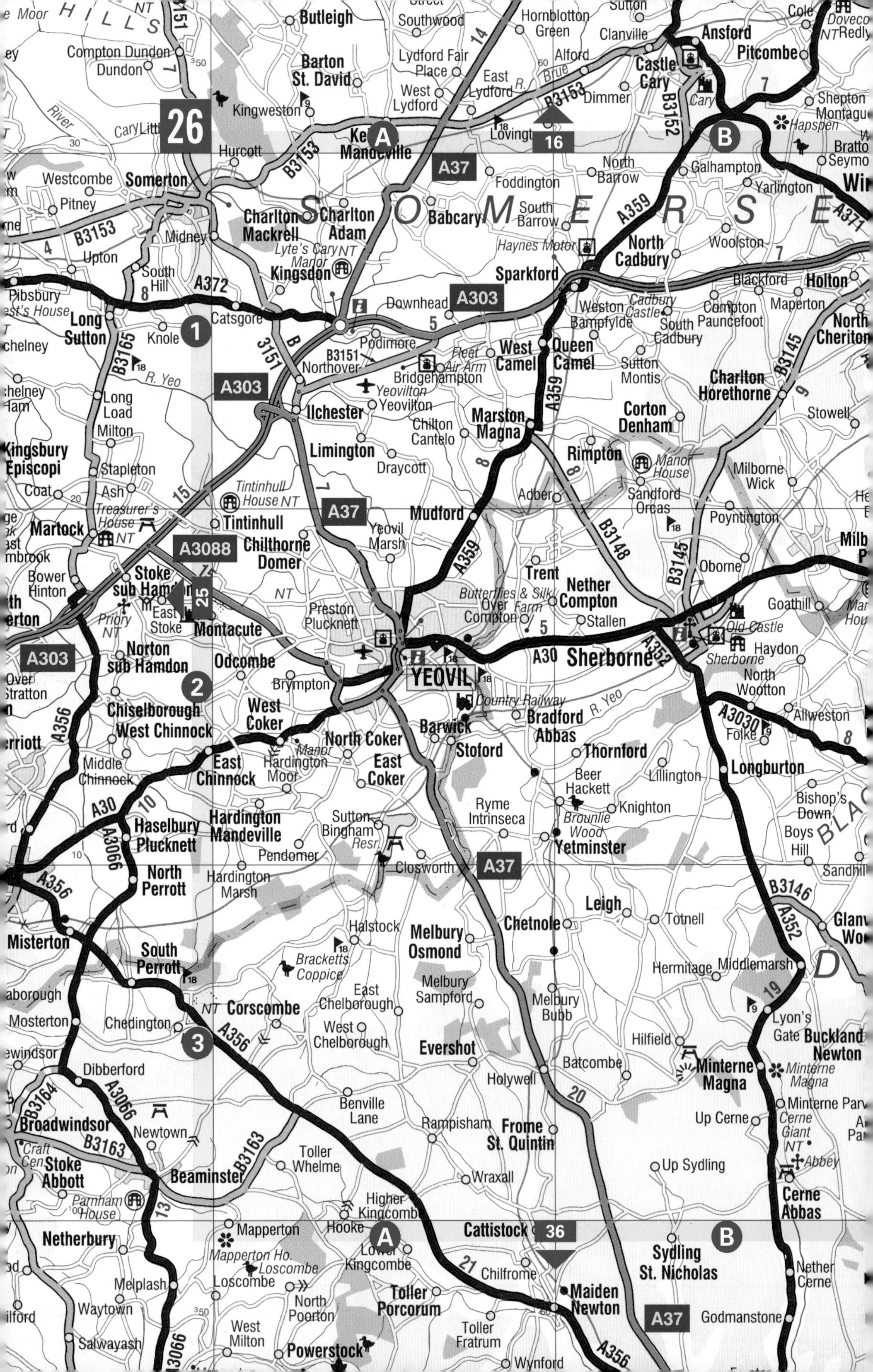

26
HILLS
Butleigh
Southwood
Hornblotton Green
Sutton
Clanville
Cole
Ansford
Pitcombe
Redlynch
Compton Dundon
Dundon
Barton St. David
Lydford Fair Place
Alford
Castle Cary
Shepton Montague
Hapspen
Kingweston
West Lydford
East Lydford
R. Brue
B3153
Dimmer
B3152
River
Cary
Keinton Mandeville
Lovington
16
A
B
Bratton
Seymour
Hurcott
A37
North Barrow
Galhampton
Yarlington
Westcombe
Somerton
Foddington
Pitney
Charlton Mackrell
Charlton Adam
Babcary
South Barrow
A359
A371
SOMERSET
B3153
Midney
Lyte's Cary Manor NT
Haynes Motor
North Cadbury
Woolston
Upton
Kingsdon
Sparkford
Blackford
Holton
South Hill
A372
Downhead
A303
Weston Bampfylde
Cadbury Castle
Compton Pauncefoot
Maperton
North Cheriton
Pibsbury
Long Sutton
Catsgore
1
South Cadbury
Knole
Podimore
B3165
B3151
Northover
Fleet Air Arm
West Camel
Queen Camel
Sutton Montis
B3145
R. Yeo
A303
Bridgehampton
Yeovilton
Charlton Horethorne
Long Load
Ilchester
Corton Denham
Stowell
Milton
Chilton Cantelo
Marston Magna
Kingsbury Episcopi
Limington
Rimpton
Manor House
Stapleton
Draycott
Milborne Wick
Coat
Ash
Tintinhull House NT
Adber
Sandford Orcas
Treasurer's House
Martock
NT
Tintinhull
A37
Yeovil Marsh
Mudford
Poyntington
A3088
Chilthorne Domer
B3148
Bower Hinton
Stoke sub Hamdon
25
A359
Trent
Oborne
Priory NT
East Stoke
NT
Preston Plucknett
Butterflies & Silk Farm
Over Compton
Nether Compton
Stallen
Goathill
Montacute
Old Castle
A303
Norton sub Hamdon
Odcombe
YEOVIL
A30
Sherborne
A352
Haydon
Over Stratton
2
Brympton
Country Railway
North Wootton
Chiselborough
West Coker
R. Yeo
A3030
Allweston
West Chinnock
Barwick
Bradford Abbas
Folke
A356
North Coker
Manor
Stoford
Thornford
Longburton
Middle Chinnock
East Chinnock
Hardington Moor
East Coker
Beer Hackett
Lillington
A30
Knighton
Bishop's Down
Haselbury Plucknett
Hardington Mandeville
Sutton Bingham Resr
Ryme Intrinseca
Brounlie Wood
Boys Hill
A3066
Pendomer
Yetminster
North Perrott
Hardington Marsh
Closworth
A37
A356
B3146
Sandhill
Leigh
Totnell
A352
Misterton
Halstock
Melbury Osmond
Chetnole
South Perrott
Bracketts Coppice
Hermitage
Middlemarsh
Crewkerne
Mosterton
East Chelborough
Melbury Sampford
Melbury Bubb
Chedington
NT
Corscombe
West Chelborough
Lyon's Gate
Buckland Newton
Hilfield
3
A356
Evershot
Minterne Magna
Dibberford
Batcombe
Holywell
Broadwindsor
A3066
B3164
Benville Lane
Up Cerne
Minterne Parva
Newtown
Rampisham
Frome St. Quintin
Cerne Giant NT
Craft Cen
B3163
Toller Whelme
20
Abbey
Stoke Abbott
Beaminster
B3163
Up Sydling
Wraxall
Parnham House
Cerne Abbas
Higher Kingcombe
13
Netherbury
Mapperton
Hooke
Cattistock
36
A
B
Mapperton Ho.
Loscombe
Lower Kingcombe
Sydling St. Nicholas
21
Chilfrome
Nether Cerne
Melplash
Loscombe
North Poorton
Toller Porcorum
Maiden Newton
A37
Godmanstone
Waytown
West Milton
Toller Fratrum
Salwayash
A3066
Powerstock
Wynford
A356

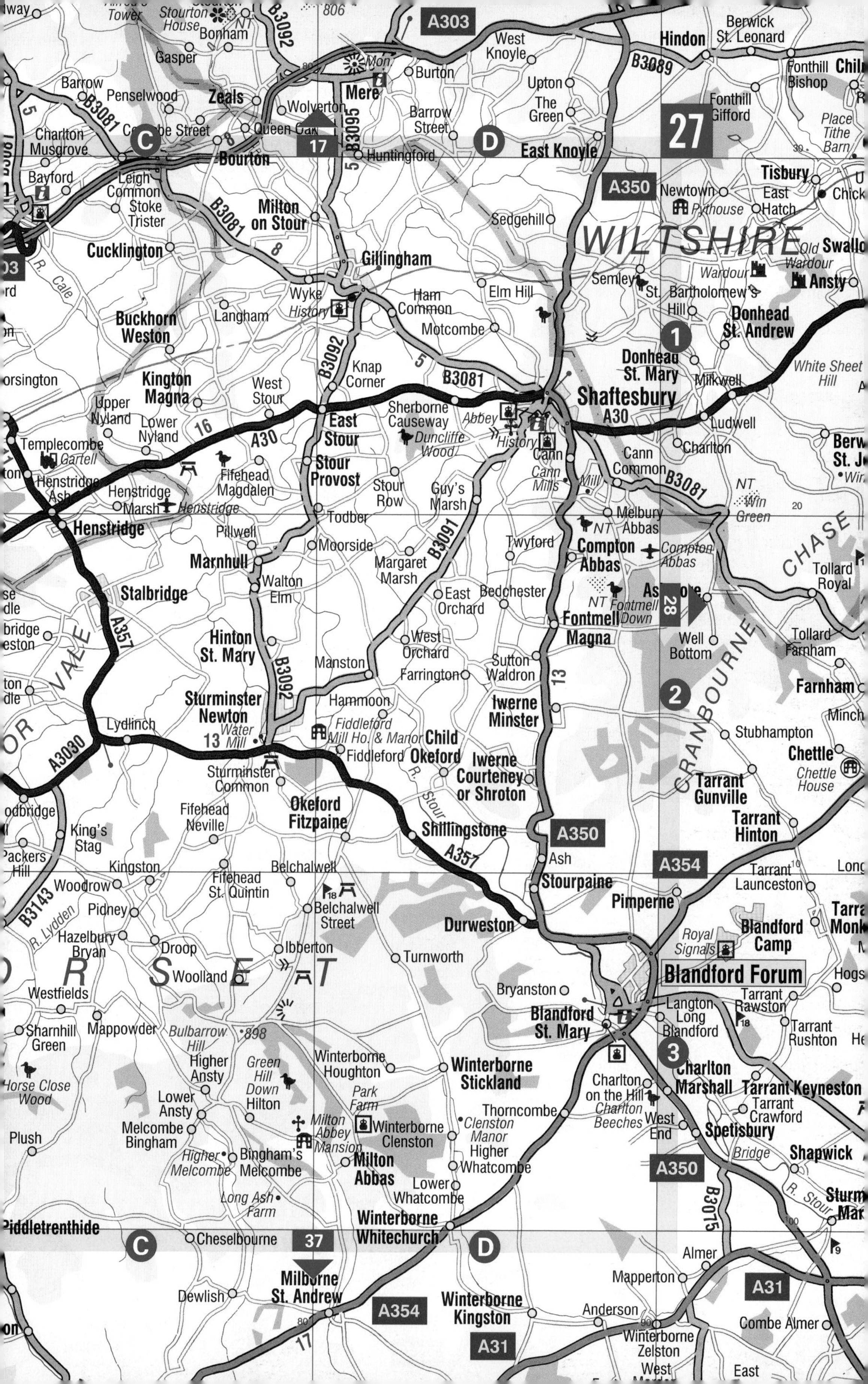

27
A303
A350
A30
A357
A354
A31
A3030
B3092
B3081
B3089
B3095
B3091
B3143
B3075
WILTSHIRE
DORSET
VALE
CRANBOURNE CHASE
Hindon
Berwick St. Leonard
West Knoyle
Mere
Zeals
Bourton
East Knoyle
Tisbury
Milton on Stour
Gillingham
Cucklington
Buckhorn Weston
Shaftesbury
Kington Magna
East Stour
Stour Provost
Henstridge
Marnhull
Stalbridge
Hinton St. Mary
Sturminster Newton
Donhead St. Mary
Donhead St. Andrew
Compton Abbas
Fontmell Magna
Iwerne Minster
Iwerne Courteney or Shroton
Child Okeford
Okeford Fitzpaine
Shillingstone
Stourpaine
Durweston
Pimperne
Blandford Forum
Blandford St. Mary
Blandford Camp
Tarrant Gunville
Tarrant Hinton
Chettle
Farnham
Charlton Marshall
Tarrant Keyneston
Spetisbury
Shapwick
Winterborne Stickland
Milton Abbas
Winterborne Whitechurch
Milborne St. Andrew
Winterborne Kingston
Piddletrenthide
Ansty
Swallowcliffe

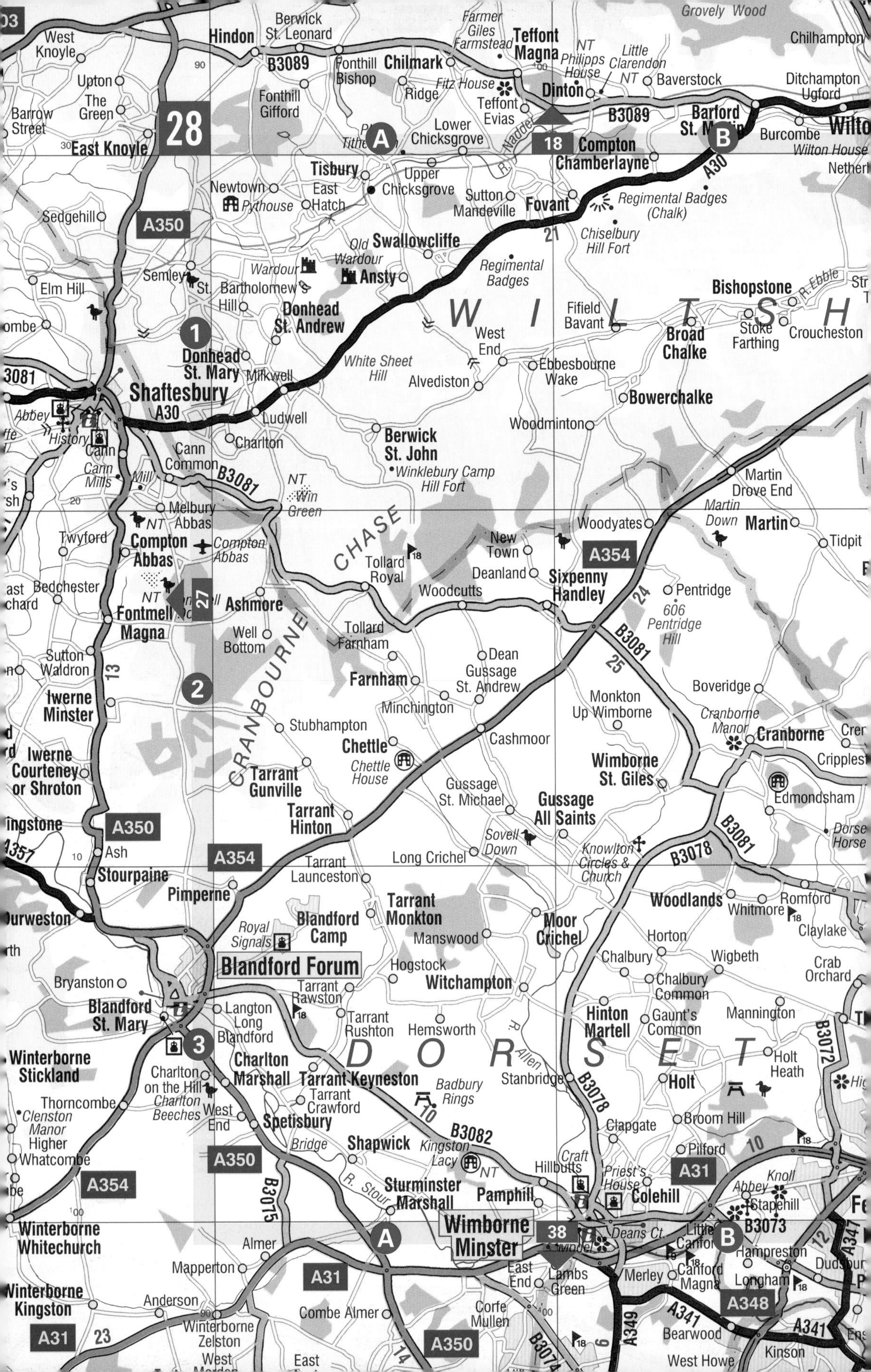
W I L T S H
D O R S E T
Shaftesbury
Blandford Forum
Wimborne Minster
Hindon
Tisbury
Fovant
Wilton
Cranborne Chase
Sixpenny Handley
Cranborne
Tarrant Gunville
Tarrant Hinton
Pimperne
Blandford Camp
Witchampton
Spetisbury
Shapwick
Sturminster Marshall
Colehill
Holt
Woodlands
Moor Crichel
Gussage All Saints
Chettle
Farnham
Ashmore
Fontmell Magna
Compton Abbas
Iwerne Minster
Stourpaine
Winterborne Stickland
Winterborne Whitechurch
Winterborne Kingston
Charlton Marshall
Tarrant Keyneston
Hinton Martell
Wimborne St. Giles
Martin
Bowerchalke
Broad Chalke
Bishopstone
Ansty
Swallowcliffe
Donhead St. Andrew
Donhead St. Mary
Chilmark
Teffont Magna
Dinton
Compton Chamberlayne
Barford St. Martin
East Knoyle
A30
A350
A354
A31
A348
A341
A349
B3081
B3089
B3078
B3082
B3075
B3073
B3072
B3074

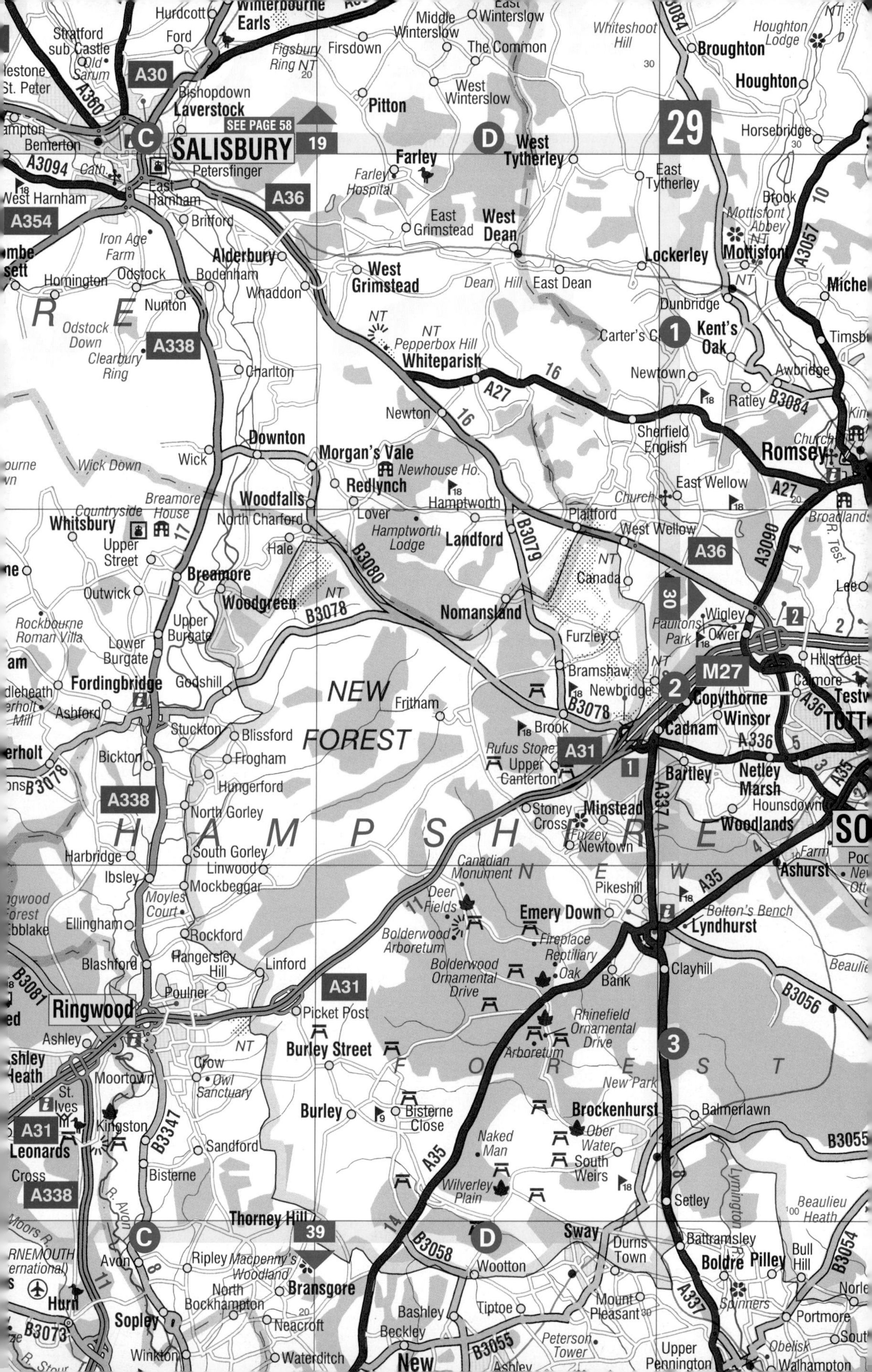

29
Hurdcott
Winterbourne Earls
Ford
Stratford sub Castle
Old Sarum
A30
A360
Bishopdown
Laverstock
SEE PAGE 58
SALISBURY
19
C
Bemerton
A3094
Cath.
Petersfinger
East Harnham
West Harnham
A354
A36
Britford
Iron Age Farm
Alderbury
Homington
Odstock
Bodenham
Whaddon
Nunton
Odstock Down
Clearbury Ring
A338
Charlton
Figsbury Ring NT
Firsdown
Middle Winterslow
East Winterslow
The Common
West Winterslow
Pitton
Farley
Farley Hospital
D
West Tytherley
East Tytherley
East Grimstead
West Dean
West Grimstead
Dean Hill
East Dean
NT
Pepperbox Hill
Whiteparish
A27
16
Newton
Downton
Wick
Wick Down
Morgan's Vale
Newhouse Ho.
Redlynch
Woodfalls
Breamore House
Countryside
Whitsbury
Upper Street
North Charford
Lover
Hamptworth
Hamptworth Lodge
Landford
Hale
B3080
B3079
17
Breamore
Woodgreen
B3078
Nomansland
Outwick
Rockbourne Roman Villa
Upper Burgate
Lower Burgate
Fordingbridge
Godshill
Ashford
NEW FOREST
Fritham
Stuckton
Blissford
Frogham
Bickton
Hungerford
North Gorley
B3078
HAMPSHIRE
Harbridge
South Gorley
Linwood
Ibsley
Mockbeggar
Moyles Court
Ellingham
Rockford
Blashford
Hangersley Hill
Linford
Poulner
Ringwood
Ashley
A31
Picket Post
Burley Street
Crow
Owl Sanctuary
Moortown
St. Ives
Kingston
B3347
Sandford
Bisterne
Burley
Bisterne Close
A338
Leonards
Cross
R. Avon
Thorney Hill
39
Avon
Ripley
Macpenny's Woodland
North Bockhampton
Bransgore
Neacroft
Hurn
Sopley
B3073
Winkton
Waterditch
Whiteshoot Hill
B3084
Broughton
Houghton Lodge
Houghton
Horsebridge
Brook
Mottisfont Abbey
Mottisfont
A3057
Lockerley
Dunbridge
Carter's Clay
1
Kent's Oak
Newtown
Ratley
Awbridge
Timsbury
Sherfield English
Romsey
East Wellow
Church
A27
Plaitford
West Wellow
A36
Broadlands
R. Test
A3090
Canada
30
Paultons Park
Wigley
Ower
M27
Furzley
Bramshaw
Newbridge
2
Copythorne
Winsor
Cadnam
Brook
Rufus Stone
Upper Canterton
A31
A336
Bartley
Netley Marsh
Hounsdown
Stoney Cross
Minstead
Furzey
Woodlands
A337
Newtown
Canadian Monument
Pikeshill
Ashurst
A35
Deer Fields
Emery Down
Bolton's Bench
Lyndhurst
Bolderwood Arboretum
Fireplace
Reptiliary
Bolderwood Ornamental Drive
Oak
Bank
Clayhill
B3056
Rhinefield Ornamental Drive
Arboretum
3
FOREST
New Park
Brockenhurst
Balmerlawn
Naked Man
Ober Water
South Weirs
Wilverley Plain
A35
B3055
Setley
Lymington R.
Beaulieu Heath
Sway
Durns Town
Battramsley
B3058
Wootton
Boldre
Pilley
Bull Hill
B3054
Tiptoe
Mount Pleasant
Spinners
Bashley
Beckley
B3055
Peterson Tower
Portmore
Upper Pennington
Obelisk
Walhampton
New
Ashley

30
SOUTHAMPTON
WINCHESTER
SEE PAGE 59
SEE PAGE 58
EASTLEIGH
Romsey
Totton
Lyndhurst
Brockenhurst
Beaulieu
HYTHE
Hamble-le-Rice
Netley
Chandler's Ford
West End
Marchwood
Fawley
Cadnam
Ampfield
Hursley
Michelmersh
Mottisfont
Lockerley
West Tytherley
Broughton
Houghton
King's Somborne
Up Somborne
Sparsholt
Littleton
Headbourne Worthy
Otterbourne
Chilworth
North Baddesley
Minstead
Ashurst
Woodlands
Sway
Boldre
East Boldre
Exbury
Blackfield
Holbury
Hardley
Dibden Purlieu
Bursledon
Emery Down
Copythorne
Netley Marsh
Bartley
Testwood
Winsor
NEW FOREST
M27
M271
M3
A36
A31
20
29
40

Martyr Worthy
Itchen Abbas
B3047
Itchen Stoke
Alresford
Fulling Mill
Gundleton
Watercress
North Street
A31
Marks
Kitwood
Rotherfield Park
Newton Valence
NT
Oates
Selborne
Rural Relics
Chilland
Avington
New Alresford
Bishops Sutton
Ropley
East Tisted
Empshott
Easton
Avington Park
Ovington
Charlwood
Monkwood
Ropley Dean
31
Greatham Mill
C
D
21
Cheriton 1644
Tichborne
B3046
West Tisted
Hawkley
A31
Cheriton
Bramdean
The Warren
Warren Corner
Oakshott
A272
13
New Cheriton
Hinton Ampner
Hinton NT Ampner
Kilmeston
Bailey Green
Privett
High Cross
Stoner Hill
Longwood Warren
DANGER AREA
Beauworth
A272
Morestead
Lane End
Froxfield Green
Church Common
Steep
West Meon
Lower Bordean
1
Stroud
Baybridge
Riplington
Langrish
Warnford
Ramsdean
Weston
HAMPSHIRE
A32
East Meon
B2070
Marwell
Exton
Butser Hill 887
B2177
Upham
Corhampton
Coombe
Lower Upham
Dean
Old Winchester Hill Fort
Meonstoke
War Down
Buriton
B3035
Brockbridge
A3
Queen Elizabeth
Dundridge
Droxford
R. Meon
B2150
Durley Street
Chidden
Hambledon Cricket Monument
Clanfield
32
13
Durley
Newtown
Bishop's Waltham
Bishop's Waltham Palace
The Moors
Swanmore
Soberton
Butser Ancient Farm
Chalton
Hamble
Waltham Chase
Vineyard & Winepress
B3035
B2177
Hambledon
Boorley Green
Vineyard
Shirrell Heath
Valley
Soberton Heath
Catherington
2
Curdridge
Blendworth
Row Ash
Turkey Island
Newtown
Hoe Gate
HORNDEAN
Anthill Common
FOREST
Finchdean
Forestside
Botley
A334
Shedfield
West Walk
Lovedean
B2149
Deanlane End
Curbridge
Farm NT
A334
B2177
Hundred Acres
Hipley
Worlds End
Denmead
Armore
OF
2
Rowland's Castle
A3051
Wickham
Soake
Cowplain
BERE
The King's Stone
Burridge
Furzeley Corner
B2150
A3(M)
Durrants
Swanwick
A32
North Boarhunt
Whiteley
Crockerhill
4
WATERLOOVILLE
3
Leigh Park
Southwick
B2149
B2148
Funtley
10
Boarhunt
B2177
Leigh Park
Park Gate
9
3
Titchfield Abbey
Wallington
11
Nelson's Monument
Ports Down
Fort Widley
Purbrook
Stakes
A3
4
HAVANT
New Brighton
Westbourne
Aldsworth
Heath
Catisfield
M27
Bedhampton
Warblington
A27
Wymering
Drayton
5
Hermitage
Titchfield
FAREHAM
A27
Port Solent
Cosham
Emsworth
Hook
B3334
B3385
Portchester Fort
Farlington
3
Langstone
Church
Little Posbrook
Portchester
12
A3023
Stubbington
Peel Common
Bridgemary
Portsmouth Harbour
M275
A27
Northney
Meon
Titchfield Haven
Fort Brockhurst
Hardway
Whale Island
Hilsea
North End
A2030
Langstone Harbour
Stoke
North Hayling
Tye
Thorney Island
Hill Head
Lee-on-Solent
Rowner
Brockhurst
A3
Landport
A288
Fleet
Thorney Island
Lee-on-the-Solent
H.M.S. Victory
Portsea
Fratton
PORTSEA ISLAND
A32
Milton
SOUTH HAYLING
B3333
41
C
D
Pumping
West Town
DANGER AREA
Alverstoke
Submarine
Ryl. Marines
Eastney
East Hea...
GOSPORT
Clayhall
Southsea
A288
HAYLING ISLAND
Sandy Point
SOLENT
Stokes Bay
Gilkicker Point
PORTSMOUTH
SEE PAGE 57
Hayling Bay
Spitbank Fort
10 mins.
Railways
East Cowes

SEE PAGE 57

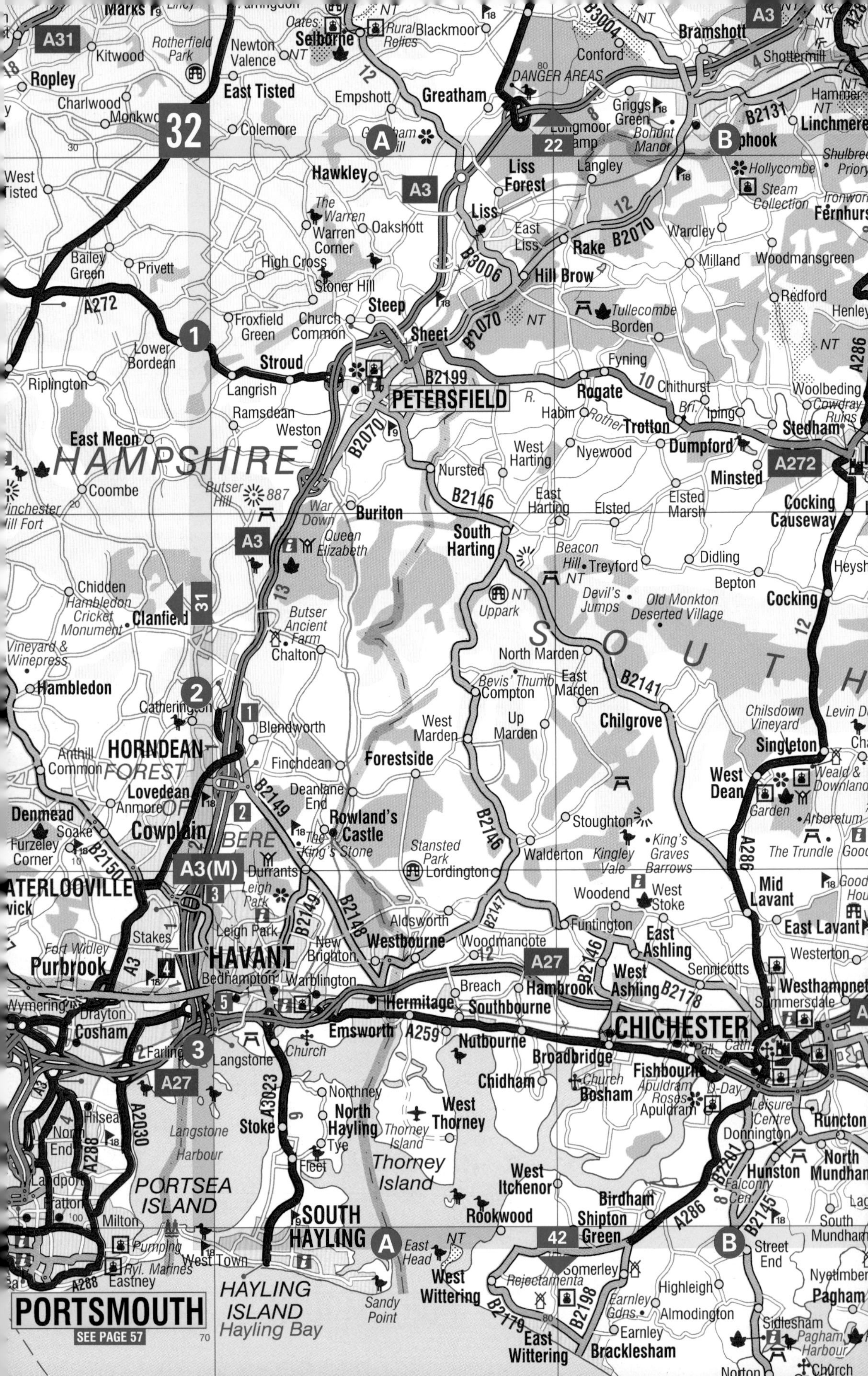

32
PETERSFIELD
HAMPSHIRE
HAVANT
HORNDEAN
CHICHESTER
PORTSMOUTH
SEE PAGE 57
SOUTH HAYLING
HAYLING ISLAND
Hayling Bay
PORTSEA ISLAND
Thorney Island
Langstone Harbour
FOREST OF BERE
Selborne
Greatham
Liss
Liss Forest
Steep
Sheet
Stroud
Rogate
Trotton
Stedham
Buriton
South Harting
Rowland's Castle
Westbourne
Emsworth
Southbourne
Bosham
Fishbourne
Cowplain
Waterlooville
Purbrook
Cosham
Clanfield
Hambledon
Denmead
Chilgrove
Singleton
West Dean
Lavant
Bramshott
Liphook
Linchmere
Fernhurst
Cocking
Midhurst
East Wittering
West Wittering
Bracklesham
A3
A3(M)
A27
A31
A272
A286
A259
A3023
A2030
A288
B2070
B2146
B2149
B2148
B2141
B2145
B2179
B2198
B2178
B2199
B3006
B3004
B2131
B2147
B2150
B2201

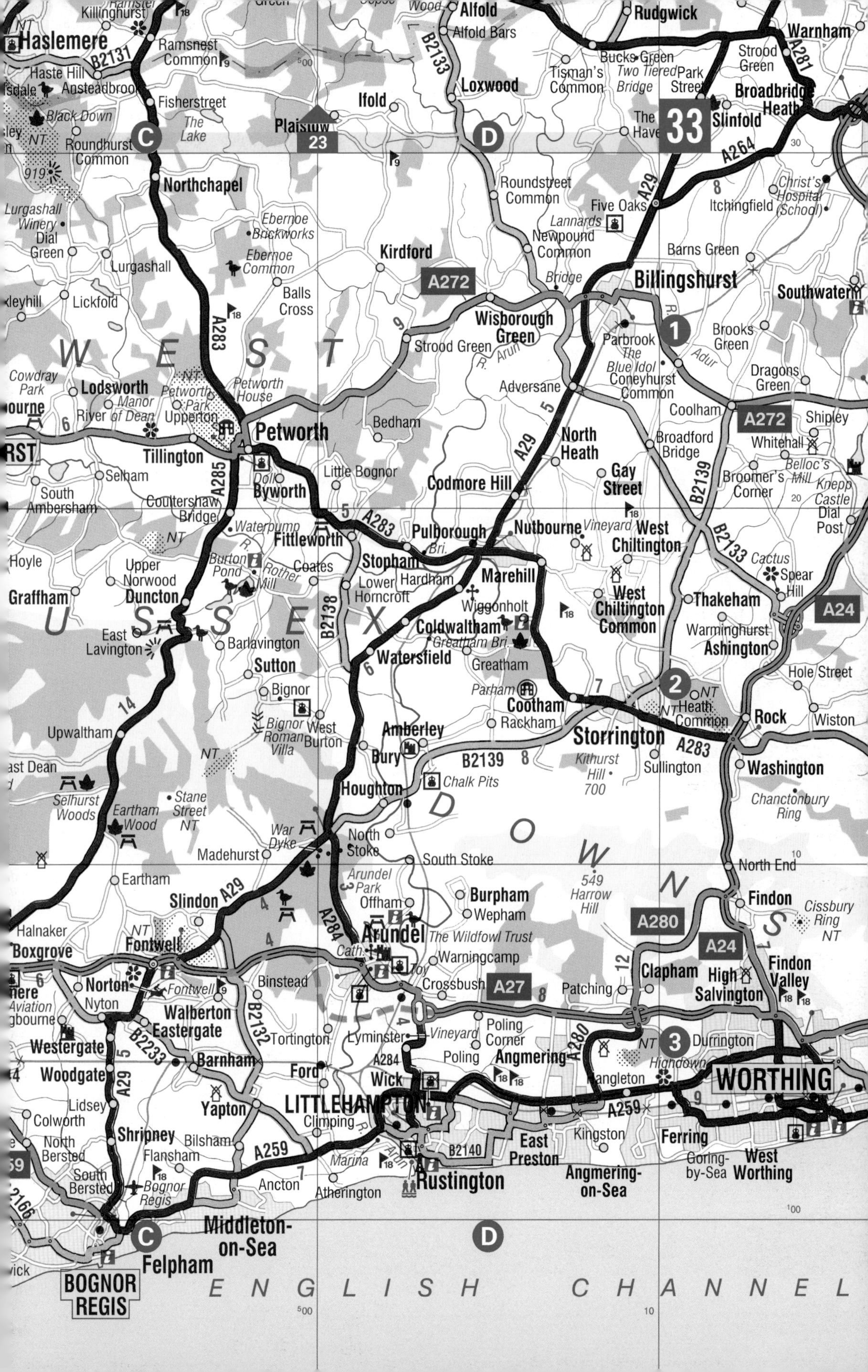
Killinghurst
Haslemere
Ramsnest Common
Haste Hill
Ansteadbrook
Fisherstreet
Black Down
NT
Roundhurst Common
919
C
The Lake
Plaistow
23
Ifold
Alfold
Alfold Bars
B2133
Loxwood
D
Rudgwick
Bucks Green
Tisman's Common
Two Tiered Bridge
Park Street
Warnham
Strood Green
A281
Broadbridge Heath
Slinfold
33
The Haven
A264
Itchingfield
Christ's Hospital (School)
Northchapel
Lurgashall Winery
Dial Green
Lurgashall
Ebernoe Brickworks
Ebernoe Common
Roundstreet Common
Five Oaks
Lannards
Newpound Common
A29
Barns Green
Kirdford
A272
Bridge
Billingshurst
Southwater
Balls Cross
Lickfold
A283
Wisborough Green
Strood Green
R. Arun
Parbrook
The Blue Idol
Coneyhurst Common
1
Brooks Green
R. Adur
Dragons Green
W E S T
Cowdray Park
Lodsworth
Petworth Manor
Petworth Park
Petworth House
Upperton
River of Dean
Adversane
Coolham
A272
Shipley
Petworth
Bedham
North Heath
Broadford Bridge
Whitehall
Tillington
Selham
A285
Doll
Byworth
Little Bognor
Codmore Hill
Gay Street
B2139
Broomer's Corner
Belloc's Mill
Knepp Castle
South Ambersham
Coultershaw Bridge
Waterpump
Fittleworth
5
A283
Pulborough
Bri.
Nutbourne
Vineyard
West Chiltington
B2133
Dial Post
Hoyle
Upper Norwood
Burton Pond
R. Rother
Mill
Coates
Stopham
Hardham
Marehill
Cactus
Spear Hill
Graffham
Duncton
Lower Horncroft
Wiggonholt
West Chiltington Common
Thakeham
A24
U S S E X
East Lavington
Barlavington
B2138
Coldwaltham
Greatham Bri.
Warminghurst
Ashington
Sutton
Watersfield
Greatham
Hole Street
Bignor
Parham
Cootham
2
NT
Heath Common
Wiston
14
Bignor Roman Villa
West Burton
Amberley
Rackham
Storrington
A283
Rock
Upwaltham
NT
Bury
B2139
Sullington
Washington
East Dean
Kithurst Hill
700
Selhurst Woods
Stane Street
NT
Chalk Pits
Houghton
Eartham Wood
War Dyke
D
Chanctonbury Ring
O
Madehurst
North Stoke
South Stoke
W
North End
Eartham
Arundel Park
549
Harrow Hill
N
Slindon
A29
Offham
Burpham
Wepham
Findon
Cissbury Ring
NT
Halnaker
Fontwell
A284
Arundel
The Wildfowl Trust
A280
S
Boxgrove
Cath.
Toy
Warningcamp
A24
12
Clapham
High Salvington
Findon Valley
Norton
Nyton
Aviation
Fontwell
Binstead
Crossbush
A27
Patching
Walberton
B2132
Eastergate
Poling Corner
Westergate
B2233
Tortington
Lyminster
Vineyard
A280
3
Durrington
NT
Woodgate
Barnham
Poling
Angmering
Highdown
A29
Ford
A284
Wick
Tangleton
WORTHING
Yapton
LITTLEHAMPTON
Lidsey
Climping
A259
Colworth
Shripney
Bilsham
B2140
East Preston
Kingston
Ferring
North Bersted
Flansham
A259
Marina
R. Arun
Goring-by-Sea
West Worthing
South Bersted
Bognor Regis
Ancton
Atherington
Rustington
Angmering-on-Sea
Middleton-on-Sea
C
D
Felpham
BOGNOR REGIS
E N G L I S H   C H A N N E L

34
A30
Norman's Green
Plymtree
Lower Tale
Luton
Upton
Payhembury
Hembury Fort
Godford Cross
Combe Raleigh
Awliscombe
NT
Monkton
Millhayes
Membury
Cotleigh
Heathstock
Turfmoor
Ham
Higher Tale
Cheriton
A373
Honiton
Wilmington
24
Dalwood
Loughwood Meeting House
Colesbrook
Buckerell
Talaton
Feniton
Offwell
Widworthy
A35
B3261
Fenny Bridges
Escot
Gittisham
A375
Whimple
Alfington
DEVON
Church Green
Shute
Kilmington
Hand and Pen
Fairmile
Shute Barton
Taleford
B3177
Farway
Northleigh
Seaton Junction
Hampton
Whitford
B3174
Cadhay
West Hill
Ottery St. Mary
Woodbridge
R. Coly
Maiden
Allercombe
Farway
Southleigh
Colyton
Tramway
Musbury
Marsh Green
Broad Oak
R. Otter
Wiggaton
Broad Down
B3161
A358
Fluxton
Sand
Colyford
Combpyne
B3180
Metcombe
Sidbury
Blackbury Camp (Hill Fort)
Axmouth
Venn Ottery
Tipton St. John
Coombe
Seaton
Tramway
Southerton
Harpford
Harcombe
A3052
B3172
Bowd
Sidford
B3174
Pecorama
Bindon Manor House
A3052
Burrow
Newton Poppleford
Donkey Sanctuary
Beer Quarry
Vicarage
Beer
Seaton Bay
Hawkerland
B3176
Sid
Weston
Salcombe Regis
Branscombe
B3178
Stowford
Colaton Raleigh
Weston Mouth
Beer Head
Bicton Park
SIDMOUTH
Otterton
Yettington
East Budleigh
Mill Centre
B3178
Knowle
Kersbrook
Otter Estuary
Fairlynch
Budleigh Salterton
World of Country Life
A
B
1
2
3
10
20
70
80
90
100

Chard
Thorncombe
Tytherleigh
Holditch
Blackdown
Hursey
Broadwindsor
Pilsdon Pen NT 909'
Burstock
Lewesdon Hill
Stoke Abbott
Parnham House
Newtown
Beaminster
35
Birdsmoor Gate
Marshalsea
25
Bettiscombe
Pilsdon
Blackney
Netherbury
Mapperton
Mapperton Ho.
Loscombe
Hooke
Higher Kingcombe
Lower Kingcombe
Axminster
Marshwood
Fishpond Bottom
Marshwood Castle
Marshwood Vale
Bowood
Melplash
Filford
Waytown
North Poorton
West Milton
Powerstock
Nettlecombe
R. Char
Broadoak
Salwayash
D O R S E T
Monkton Wyld
Wootton Fitzpaine
Whitchurch Canonicorum
Harcombe Bottom
Penn
Catherston Leweston
Ryall
Moorbath
Dottery
Pymore
Mangerton Mill
Loders
Eggardon Hill
Uplyme
Charmouth
Morcombelake
North Chideock
Symondsbury
Bradpole
Uploders
Lyme Regis
Chideock
Seatown
Bridport
Walditch
Askerswell
Watton
Eype
Harbour
Bothenhampton
Shipton Gorge
Chilcombe
Litton Cheney
LYME BAY
West Bay
Burton Bradstock
Old Farming Collection
Lyme Regis (Philpot)
Burton Cliff NT
Puncknowle
Swyre
West Bexington
Sub-Tropical
A35
A3066
A358
B3165
B3162
B3163
B3164
B3157
A3052
36
C
D
1
2
3
40
350
80
70
90

36
Holywell
Magna
Minterne Parva
Benville Lane
Rampisham
Frome St. Quintin
Up Cerne
Cerne Giant NT
Abbey
Cerne Abbas
Broadwindsor
B3164
A3066
B3163
Newtown
Craft Cen
Stoke Abbott
Parnham House
Toller Whelme
Wraxall
Up Sydling
A37
26
A
B
Netherbury
Mapperton
Mapperton Ho.
Loscombe
Hooke
Higher Kingcombe
Lower Kingcombe
Cattistock
Sydling St. Nicholas
Nether Cerne
Melplash
Waytown
North Poorton
Toller Porcorum
21
Chilfrome
Maiden Newton
Godmanstone
West Milton
Powerstock
Toller Fratrum
Salwayash
Dottery
A3066
Mangerton Mill
Nettlecombe
Wynford Eagle
A356
Forston
D
B3162
Pymore
1
Loders
Powerstock
Eggardon Hill
Eggardon Hill Fort
827
West Compton
Frampton
Grimstone
A352
R. Brit
Bradpole
Uploders
Muckleford
Stratton
Bridport
Walditch
Bothenhampton
A35
Askerswell
Compton Valence
Bradford Peverell
Watton
Eype
Harbour
NT
West Bay
Shipton Gorge
Chilcombe
Litton Cheney
14
Kingston Russell
Winterbourne Abbas
Nine Stones
A37
A35
Military
Poundbury
DORCHESTER
18
B3157
Burton Bradstock
Old Farming Collection
Long Bredy
Black Down
Poor Lot Barrows
Winterbourne Steepleton
B3159
Maiden Castle (Fort)
Burton Cliff NT
Puncknowle
Littlebredy
Martinstown or Winterborne St. Martin
Winterborne Monkton
35
Swyre
West Bexington
Kingston Russell Stone Circle
Hardy Monument NT
NT
West Bexington
B3157
Hell Stone
Portesham
Friar Waddon
A354
8
2
Sub-Tropical
19
Abbotsbury
Coryates
Upwey
St. Catherine's Chapel
Tithe Barn Country
Abbotsbury Swannery
Elworth
Rodden
Shilvinghampton
Broadwey
Nottington
Buckland Ripers
Langton Herring
B3157
Radipole
Chesil
The Fleet & Chesil Bank
Fleet
Chickerell
Westham
Beach
Charlestown
DANGER AREA
Wyke Regis
Rodwell
Sandsfoot
Tudor Ho.
WEYMOUTH
Lodmoor
Sea Life Park
Littlemoor
80
3
A354
Chesil
West Bay
Weston
70
Southwell
A
B
Portland
350
60

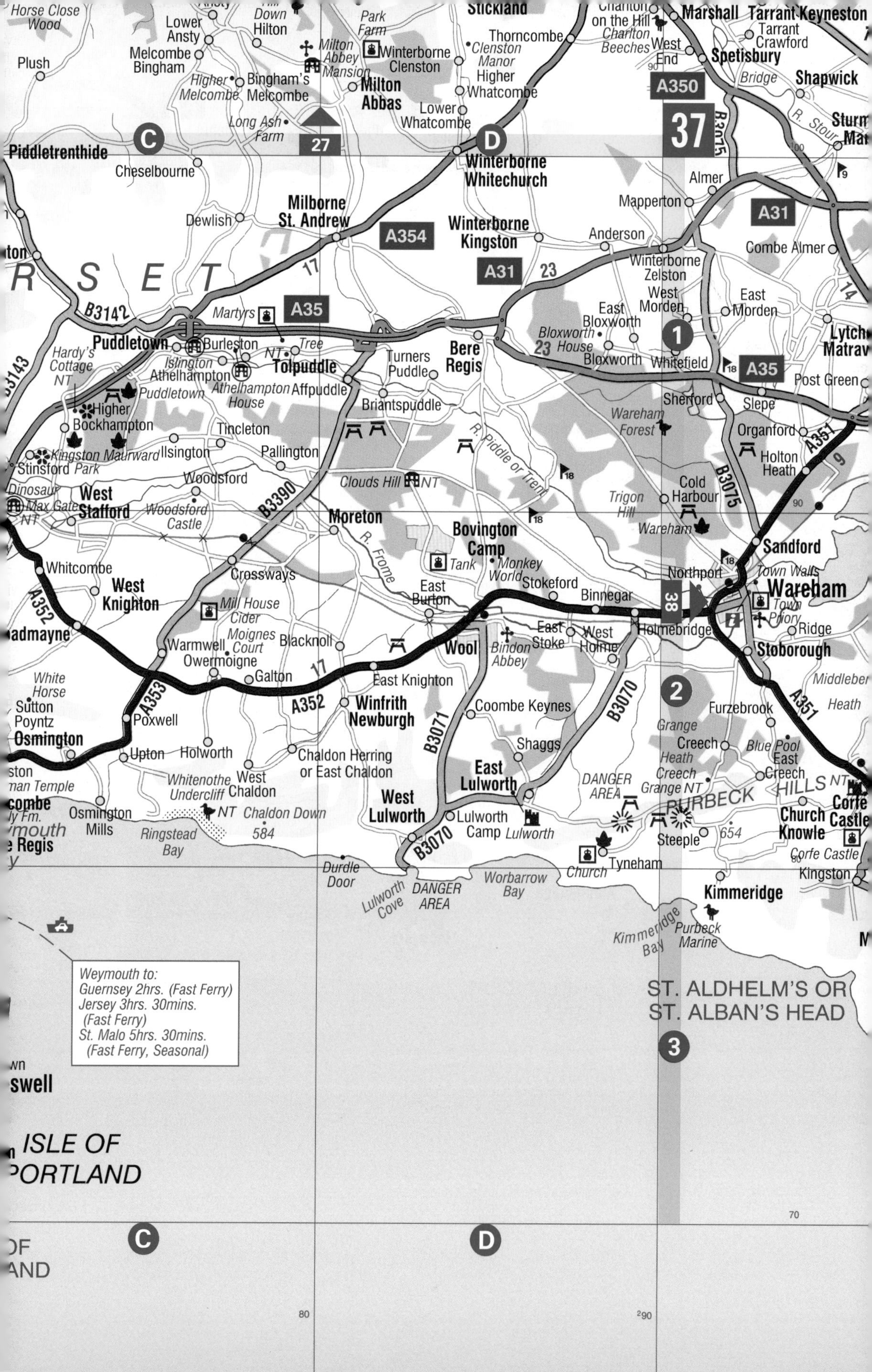
Horse Close Wood
Lower Ansty
Melcombe Bingham
Plush
Hilton
Park Farm
Milton Abbey Mansion
Winterborne Clenston
Stickland
Thorncombe
Clenston Manor
Higher Whatcombe
Lower Whatcombe
Charlton on the Hill
Charlton Beeches
Marshall
Tarrant Keyneston
Tarrant Crawford
West End
Spetisbury
Bridge
Shapwick
R. Stour
A350
B3075
37
Higher Melcombe
Bingham's Melcombe
Milton Abbas
Long Ash Farm
27
C
D
Piddletrenthide
Cheselbourne
Winterborne Whitechurch
Almer
Mapperton
A31
Dewlish
Milborne St. Andrew
A354
Winterborne Kingston
Anderson
Combe Almer
Winterborne Zelston
West Morden
East Morden
East Bloxworth
Bloxworth House
Bloxworth
Whitefield
1
R S E T
B3142
B3143
Martyrs Tree
A35
Puddletown
Burleston
Tolpuddle
Turners Puddle
Bere Regis
Hardy's Cottage NT
Islington
Athelhampton
Athelhampton House
Affpuddle
Briantspuddle
Puddletown
Higher Bockhampton
Tincleton
Pallington
Ilsington
Kingston Maurward
Stinsford Park
Woodsford
R. Piddle or Trent
Wareham Forest
Sherford
Slepe
Post Green
Organford
Holton Heath
A351
Clouds Hill NT
Cold Harbour
Trigon Hill
Wareham
Dinosaur
Max Gate NT
West Stafford
Woodsford Castle
B3390
Moreton
R. Frome
Bovington Camp
Tank
Monkey World
Sandford
Northport
Town Walls
Wareham
Town Priory
Ridge
Whitcombe
West Knighton
Crossways
Mill House Cider
East Burton
Stokeford
Binnegar
38
Holmebridge
East Stoke
West Holme
Stoborough
A352
Moigns Court
Warmwell
Owermoigne
Blacknoll
Galton
Wool
Bindon Abbey
East Knighton
White Horse
Sutton Poyntz
Osmington
A353
Poxwell
Winfrith Newburgh
Coombe Keynes
B3070
B3071
2
Furzebrook
Middlebere Heath
Upton
Holworth
Chaldon Herring or East Chaldon
Shaggs
Grange
Creech
Blue Pool
East Creech
Heath
Creech Grange NT
Purbeck Hills NT
Whitenothe Undercliff
West Chaldon
East Lulworth
West Lulworth
Danger Area
Osmington Mills
Chaldon Down
584
Lulworth Camp
Lulworth
Ringstead Bay
Steeple
654
Church Knowle
Corfe Castle
Tyneham
Church
Corfe Castle
Kingston
Durdle Door
Lulworth Cove
Danger Area
Worbarrow Bay
Kimmeridge
Kimmeridge Bay
Purbeck Marine
St. Aldhelm's or St. Alban's Head
3
Weymouth to:
Guernsey 2hrs. (Fast Ferry)
Jersey 3hrs. 30mins. (Fast Ferry)
St. Malo 5hrs. 30mins. (Fast Ferry, Seasonal)
Isle of Portland
80
90
70

38
Stickland
Charlton on the Hill
Charlton Beeches
Marshall
Tarrant Keyneston
Tarrant Crawford
Badbury Rings
Stanbridge
B3078
Holt
Thorncombe
Clenston Manor
Higher Whatcombe
West End
Spetisbury
B3082
Bridge
Shapwick
Kingston Lacy
NT
Clapgate
Broom Hill
Pilford
A350
Craft
Hillbutts
Priest's House
A31
Knoll
Abbey
Sturminster Marshall
Pamphill
Colehill
Stapehill
28
B3075
R. Stour
Deans Ct
Fe
Winterborne Whitechurch
Almer
Wimborne Minster
Model
Little Canford
B3073
A347
Mapperton
A31
East End
Lambs Green
Merley
Canford Magna
Hampreston
Dudsbury
Winterborne Kingston
Anderson
Combe Almer
Corfe Mullen
Longham
A348
Winterborne Zelston
A349
A341
Bearwood
A341
Kinson
A31
23
West Morden
DORSET
B3074
East Morden
West Howe
East Bloxworth
A350
Hill View
Broadstone
East Howe
Bloxworth House
1
Lytchett Matravers
Hillbourne
A3049
Bere Regis
Bloxworth
Whitefield
A35
Creekmoor
Waterloo
Wallisdown
Post Green
A3049
Newtown
Sherford
Slepe
Lytchett Minster
Upton
Oakdale
A3040
Branksome
Wareham Forest
Organford
A351
Turlin Moor
A350
R. Piddle or Trent
Holton Heath
Hamworthy
A35
Parkstone
Westbourne
Trigon Hill
Cold Harbour
B3075
B3068
B3369
POOLE
Bovington Camp
Wareham
Sandford
Poole Pottery
Poole Harbour
Canford Cliffs
Tank
Monkey World
Arne
Arne
Brownsea Island
Marina
Compton Acres
Stokeford
Northport
Town Walls
Wareham
NT
Binnegar
37
A352
Town
Priory
Sandbanks
NT
POOLE
Wool
East Stoke
West Holme
Holmebridge
Ridge
Bindon Abbey
Stoborough
TOLL
Studland Heath NT
Middlebere
2
Heath
ISLE OF PURBECK
Studland & Godlingstone Heaths
B3070
Coombe Keynes
Furzebrook
A351
Wytch Heath
Grange
Creech
Blue Pool
Bushey
Studland Bay
Shaggs
Heath
East Creech
NT
The Foreland or Handfast Point
Old Harry Rocks
East Lulworth
DANGER AREA
Creech Grange NT
PURBECK HILLS NT
Model Village
B3351
Studland
Corfe Castle
Woolgarston
Lulworth Camp
Lulworth
Church Knowle
Nine Barrow Down
654
Steeple
654
10
Ulwell
Swanage Railway
Swanage Bay
Tyneham
Church
Corfe Castle
Harman's Cross
New Swanage
Worbarrow Bay
Kingston
Adventure Farm
Swanage
Kimmeridge
A351
Kimmeridge Bay
Purbeck Marine
B3069
Worth Matravers
Acton
Langton Matravers
Herston
Old Tithe Barn
Durlston Bay
Dancing Ledge
Durlston
DURLSTON HEAD
ST. ALDHELM'S OR ST. ALBAN'S HEAD
3
A
B
A
B
70
80
90
100
400
90
400

Heath
Moortown
Owl Sanctuary
New Park
St. Ives
A31
Kingston
B3347
Burley
Bisterne Close
Brockenhurst
Balmerlawn
Ober Water
B305
St. Leonards
Sandford
Naked Man
South Weirs
's Cross
Bisterne
A35
Wilverley Plain
A338
C
29
D
39
Lymington
Beaulieu Heath
Moors R.
R. Avon
Thorney Hill
Sway
Durns Town
Battramsley
Bull Hill
B3054
BOURNEMOUTH International
Avon
Ripley
Macpenny's Woodland
B3058
Wootton
Boldre
Pilley
Hurn
North Bockhampton
Bransgore
HAMPSHIRE
A337
Spinners
Sopley
Bashley
Tiptoe
Mount Pleasant
Portmore
B3073
Neacroft
Beckley
Peterson Tower
Obelisk
R. Stour
Winkton
Waterditch
B3055
Upper Pennington
Walhampton
Hinton
New Milton
Ashley
Hordle
Marina
Lisle Court
Jumpers Common
Burton
Motorcycle
Pennington
Everton
Vineyard
LYMINGTON
338
Walkford
The Salterns
Lower Pennington
Somerford
Downton
Everton Water
Lymore
Tuckton
Pokesdown
CHRISTCHURCH
Highcliffe
Barton on Sea
Oxey
Keyhaven
Wick
Red Ho.
Christchurch
Mudeford
Milford on Sea
Shelley
Christchurch Bay
(Seasonal)
Sconce Point
Southbourne
Fort Victoria
BOURNEMOUTH
SEE PAGE 55
HENGISTBURY HEAD
Hurst
Norton
A3054
Yarmouth
Colwell Bay
Norton Green
Golden Hill & Fort
40
Totland
Totland Bay
Freshwater
Alum Bay Glass
NT
B3322
Middleton
Needles Park
Freshwater Bay
Alum Bay
NT
Tennyson's Mon.
Freshwater Bay
THE NEEDLES
Needles Old Battery
Poole to:
Cherbourg 4hrs. 30mins.
Cherbourg 2hrs. 30mins. (Fast Ferry, Seasonal)
Guernsey 2hrs. 30mins. (Fast Ferry, Seasonal)
Jersey 3hrs. (Fast Ferry, Seasonal)
St. Malo 4hrs. 30mins. (Fast Ferry, Seasonal)
1
2
3
80
70
20
30
C
D

40
HAMPSHIRE
THE SOLENT
ISLE OF WIGHT
Brockenhurst
Balmerlawn
Furzey Lodge
Palace
Beaulieu
Abbey
National Motor
Holbury
Fawley
Ashlett
Calshot
Blackfield
Otterwood
Langley
Calshot Foreshore
Exbury
Bucklers Hard
Maritime
East Boldre
Lepe
Needs Ore Point
Cowes
COWES
Setley
Battramsley
Boldre
Pilley
Bull Hill
Norleywood
Portmore
East End
South Baddesley
Spinners
Obelisk
Walhampton
Lisle Court
Marina
LYMINGTON
Starting Platform
30 mins.
Naked Man
Ober Water
South Weirs
Wilverley Plain
Sway
Durns Town
Wootton
Tiptoe
Mount Pleasant
Peterson Tower
Ashley
Hordle
Everton
Upper Pennington
Vineyard
Pennington
The Salterns
Lower Pennington
Oxey
Keyhaven
Motorcycle
Downton
Everton Water
Lymore
Milford on Sea
Barton on Sea
Keyhaven
(Seasonal)
Hurst
Fort Victoria
Sconce Point
Yarmouth Castle
Norton
Yarmouth
Bouldnor
Cranmore
Hamstead
Newtown Bay
Newtown Harbour
Newtown
Porchfield
Great Thorness
DANGER AREA
Gurnard
Gurnard Bay
Thorness Bay
Rew Street
Northwood
Mark's Corner
Parkhurst
Parkhurst Forest
Locksgreen
Colemans Farm
Old Town Hall
Shalfleet
Colwell Bay
Norton Green
Thorley Street
Wellow
Ningwood
Newbridge
Gunville
Xtreme Play
Clatterford
Carisbrooke
Totland
Totland Bay
Golden Hill & Fort
Middleton
Freshwater
Watermill
Calbourne
Bowcombe
Alum Bay Glass
Needles Park
Alum Bay
Freshwater Bay
Winkle Street
Shalcombe
Chessell Pottery
Brighstone Jubilee
Brighstone Forest
Gatcombe
Chillerton
Tennyson's Mon.
Needles Old Battery
THE NEEDLES
Compton Bay
Pine Raft
Brook
Hulverstone
Mottistone
Moortown
Village
Shorwell
Brook Down
Brighstone
Yafford
I.O.W. Pearl
Brighstone Bay
Dinosaur Farm
Little Atherfield
Atherfield Green
Kingston
Shepherd's Chine
Atherfield Point
Whale Chine
Pyle
Chale Bay
Chale
Blackgang Chine
Blackgang
ST. CATHERINE'S POINT
St. Catherine's Quay
NT
A337
A3054
A3055
B3055
B3054
B3058
B3053
B3401
B3399
B3322
B3323
30
39
A
B
1
2
3

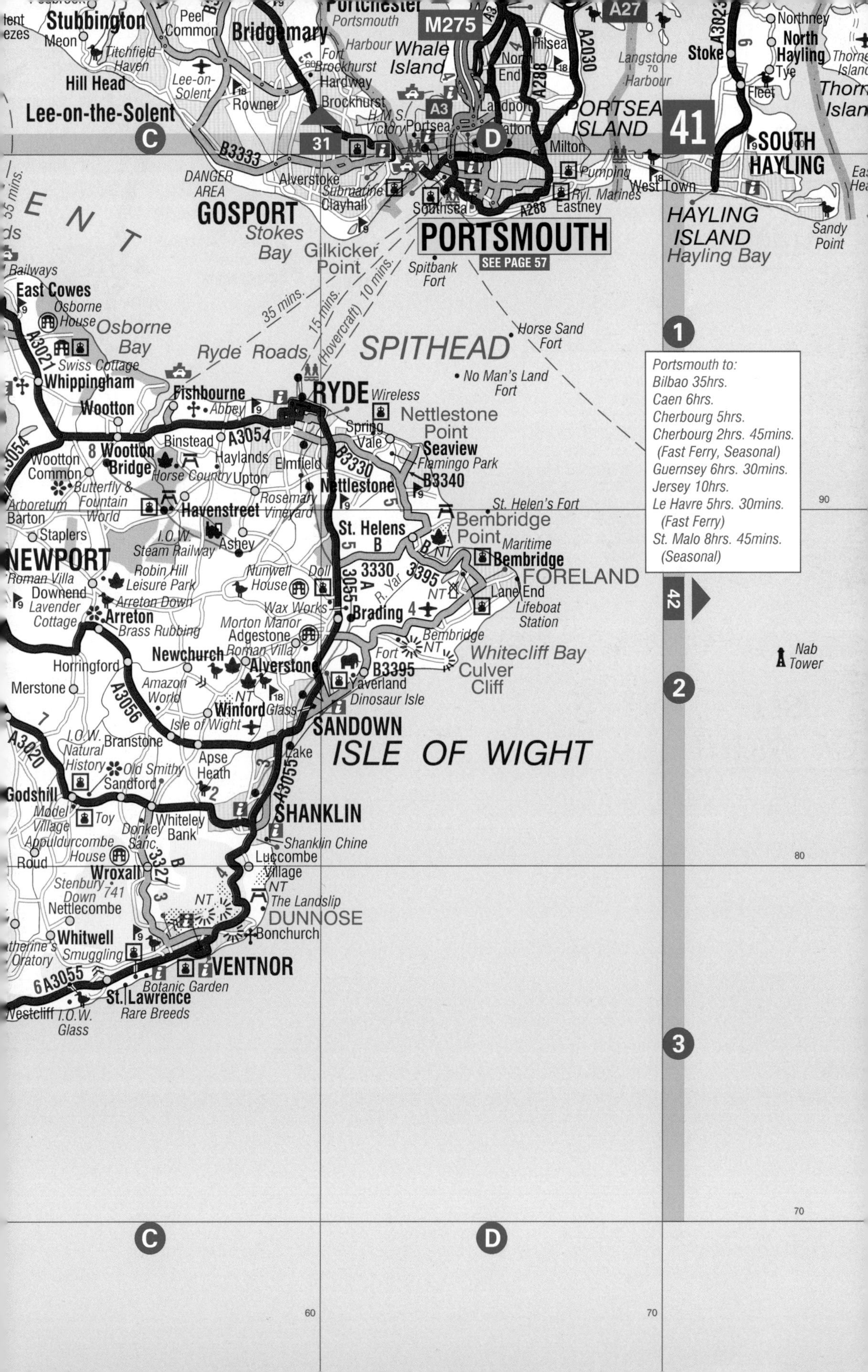

Stubbington
Meon
Peel Common
Bridgemary
Portchester
Portsmouth Harbour
M275
A27
Northney
North Hayling
Thorney Island
Hill Head
Titchfield Haven
Lee-on-Solent
Fort Brockhurst
Hardway
Whale Island
Hilsea
North End
A2030
Langstone Harbour
Stoke
Tye
Fleet
Lee-on-the-Solent
Rowner
Brockhurst
H.M.S. Victory
Portsea
Landport
A3
A288
PORTSEA ISLAND
41
C
D
31
Milton
SOUTH HAYLING
B3333
DANGER AREA
Alverstoke
Submarine
Clayhall
Pumping
West Town
Ryl. Marines
Southsea
Eastney
GOSPORT
Stokes Bay
Gilkicker Point
PORTSMOUTH
SEE PAGE 57
Spitbank Fort
HAYLING ISLAND
Hayling Bay
Sandy Point
Railways
East Cowes
Osborne House
Osborne Bay
35 mins.
15 mins.
(Hovercraft) 10 mins.
Horse Sand Fort
SPITHEAD
No Man's Land Fort
A3021
Swiss Cottage
Ryde Roads
Whippingham
Fishbourne
Abbey
RYDE
Wireless
Nettlestone Point
Wootton
Binstead
A3054
Spring Vale
Seaview
Flamingo Park
Wootton Common
Wootton Bridge
Horse Country
Haylands
Elmfield
B3330
Upton
Nettlestone
B3340
Butterfly & Fountain World
Arboretum
Barton
Havenstreet
Rosemary Vineyard
St. Helen's Fort
Bembridge Point
Staplers
I.O.W. Steam Railway
Ashey
St. Helens
Maritime
NEWPORT
Robin Hill Leisure Park
Roman Villa
Nunwell House
Doll
Bembridge
FORELAND
Downend
Lavender Cottage
Arreton Down
Arreton
Brass Rubbing
Wax Works
Morton Manor
Adgestone
Brading
R. Yar
Lane End
Lifeboat Station
Horringford
Newchurch
Roman Villa
Alverstone
Bembridge Fort
Whitecliff Bay
Culver Cliff
B3395
Yaverland
Dinosaur Isle
Merstone
Amazon World
A3056
Winford
Glass
Isle of Wight
SANDOWN
ISLE OF WIGHT
A3020
I.O.W. Natural History
Branstone
Old Smithy
Apse Heath
Lake
A3055
Godshill
Sandford
Model Village
Toy
Donkey Sanc.
Whiteley Bank
SHANKLIN
Shanklin Chine
Appuldurcombe House
Roud
Wroxall
Luccombe Village
Stenbury Down 741
Nettlecombe
NT
The Landslip
DUNNOSE
Whitwell
Bonchurch
Smuggling
VENTNOR
Botanic Garden
St. Lawrence
Rare Breeds
Westcliff
I.O.W. Glass
Nab Tower
42
1
2
3
Portsmouth to:
Bilbao 35hrs.
Caen 6hrs.
Cherbourg 5hrs.
Cherbourg 2hrs. 45mins. (Fast Ferry, Seasonal)
Guernsey 6hrs. 30mins.
Jersey 10hrs.
Le Havre 5hrs. 30mins. (Fast Ferry)
St. Malo 8hrs. 45mins. (Seasonal)
90
80
70
60
70

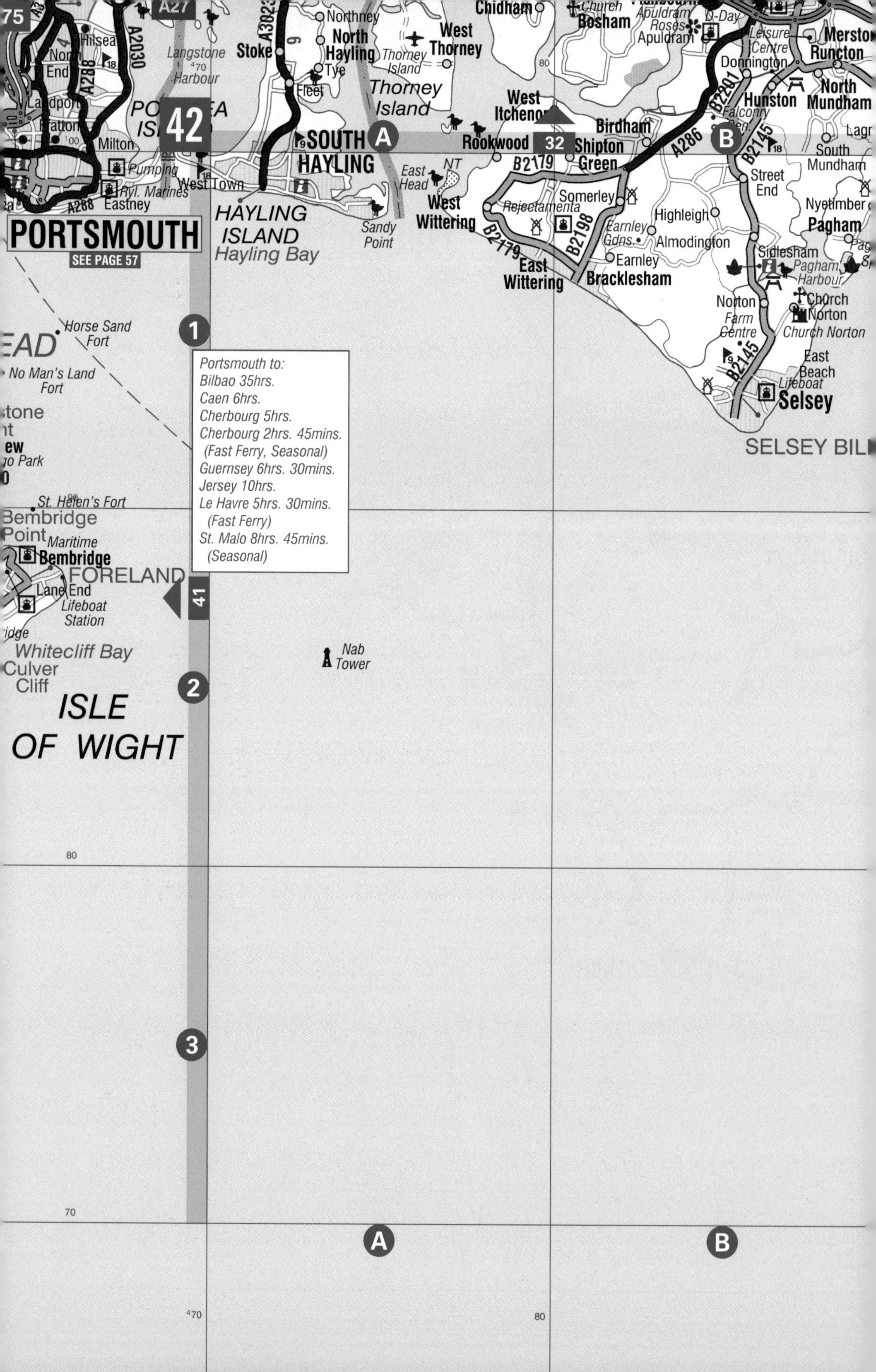
PORTSMOUTH
SEE PAGE 57
42
SOUTH HAYLING
HAYLING ISLAND
Hayling Bay
North Hayling
West Thorney
Thorney Island
West Itchenor
Rookwood
Birdham
Shipton Green
West Wittering
East Wittering
Bracklesham
Earnley
Almodington
Highleigh
Somerley
Sidlesham
Pagham
Pagham Harbour
North Mundham
South Mundham
Hunston
Donnington
Runcton
Bosham
Chidham
Apuldram
Street End
Norton
Church Norton
East Beach
Selsey
SELSEY BILL
Sandy Point
East Head
Horse Sand Fort
No Man's Land Fort
St. Helen's Fort
Bembridge Point
Bembridge
FORELAND
Lane End
Lifeboat Station
Whitecliff Bay
Culver Cliff
ISLE OF WIGHT
Nab Tower
Langstone Harbour
Eastney
Milton
Fratton
Stoke
Fleet
Tye
Northney
West Town
Portsmouth to:
Bilbao 35hrs.
Caen 6hrs.
Cherbourg 5hrs.
Cherbourg 2hrs. 45mins.
(Fast Ferry, Seasonal)
Guernsey 6hrs. 30mins.
Jersey 10hrs.
Le Havre 5hrs. 30mins.
(Fast Ferry)
St. Malo 8hrs. 45mins.
(Seasonal)
32
41
A
B
1
2
3

INDEX TO CITIES, TOWNS, VILLAGES, HAMLETS & LOCATIONS

(1) A strict alphabetical order is used e.g. Bishop Sutton follows Bishopstow but precedes Bishop's Waltham.

(2) The map reference given refers to the actual map square in which the town spot or built-up area is located and not to the place name.

(3) Where two places of the same name occur in the same County or Unitary Authority, the nearest large town is also given;
e.g. Allington. *Wilts* —3D **19** (nr. Amesbury) indicates that Allington is located in square 3D on page **19** and is situated near Amesbury in the County of Wiltshire.

COUNTIES AND UNITARY AUTHORITIES with the abbreviations used in this index.

Bath & N E Somerset : *Bath*
Bournemouth : *Bour*
Bracknell Forest : *Brac*
Bristol : *Bris*
Buckinghamshire : *Buck*
Caerphilly : *Cphy*
Cardiff : *Card*
Devon : *Devn*
Dorset : *Dors*
Gloucestershire : *Glos*
Greater London : *G Lon*
Hampshire : *Hants*
Hertfordshire : *Herts*
Isle of Wight : *IOW*
Monmouthshire : *Mon*
Newport : *Newp*
North Somerset : *N Som*
Oxfordshire : *Oxon*
Poole : *Pool*
Portsmouth : *Port*
Reading : *Read*
Rhondda Cynon Taff : *Rhon*
Slough : *Slo*
Somerset : *Som*
Southampton : *Sotn*
South Gloucestershire : *S Glo*
Surrey : *Surr*
Swindon : *Swin*
Torfaen : *Torf*
Vale of Glamorgan, The : *V Glam*
West Berkshire : *W Ber*
West Sussex : *W Sus*
Wiltshire : *Wilts*
Windsor & Maidenhead : *Wind*
Wokingham : *Wok*

A

Abbas Combe. *Som* —1C **27**
Abbey. *Devn* —2A **24**
Abbots Ann. *Hants* —2A **20**
Abbotsbury. *Dors* —2A **36**
Abbots Leigh. *N Som* —2A **6**
Abbotstone. *Hants* —3C **21**
Abbots Worthy. *Hants* —3B **20**
Abertridwr. *Cphy* —1A **4**
Abinger Common. *Surr* —2D **23**
Abinger Hammer. *Surr* —2D **23**
Ablington. *Wilts* —2C **19**
Abson. *S Glo* —2C **7**
Acton. *Dors* —3A **38**
Acton Turville. *S Glo* —1D **7**
Adber. *Dors* —1B **26**
Addlestone. *Surr* —3D **13**
Adgestone. *IOW* —2C **41**
Adsborough. *Som* —1B **24**
Adversane. *W Sus* —1D **33**
Affpuddle. *Dors* —1D **37**
Aisholt. *Som* —3A **14**
Albury. *Surr* —2D **23**
Aldbourne. *Wilts* —2D **9**
Alderbury. *Wilts* —1C **29**
Alderholt. *Dors* —2C **29**
Alderley. *Glos* —1C **7**
Aldermaston. *W Ber* —3C **11**
Aldermaston Stoke. *W Ber* —3D **11**
Aldermaston Wharf. *W Ber* —3D **11**
Aldershot. *Hants* —1B **22**
Alderton. *Wilts* —1D **7**
Aldingbourne. *W Sus* —3C **33**
Aldsworth. *W Sus* —3A **32**
Aldwick. *W Sus* —3C **33**
Aldworth. *W Ber* —2C **11**
Aley. *Som* —3A **14**
Alfington. *Devn* —1A **34**
Alfold. *Surr* —3D **23**
Alfold Bars. *W Sus* —3D **23**
Alfold Crossways. *Surr* —3D **23**
Alford. *Som* —3B **16**
Alhampton. *Som* —3B **16**
Allbrook. *Hants* —1B **30**
All Cannings. *Wilts* —3B **8**
Aller. *Som* —1D **25**
Allercombe. *Devn* —1A **34**
Allington. *Wilts* —3D **19**
(nr. Amesbury)
Allington. *Wilts* —3B **8**
(nr. Devizes)
Allowenshay. *Som* —2C **25**
Allweston. *Dors* —2B **26**
Almer. *Dors* —1A **38**
Almodington. *W Sus* —1B **42**
Almondsbury. *S Glo* —1B **6**
Alstone. *Som* —2C **15**
Alston Sutton. *Som* —1D **15**
Alton. *Hants* —3A **22**
Alton Barnes. *Wilts* —3C **9**
Alton Pancras. *Dors* —3C **27**
Alton Priors. *Wilts* —3C **9**
Alvediston. *Wilts* —1A **28**
Alverstoke. *Hants* —1D **41**
Alverstone. *IOW* —2C **41**
Alveston. *S Glo* —1B **6**
Amberley. *W Sus* —2D **33**
Amesbury. *Wilts* —2C **19**
Ampfield. *Hants* —1A **30**
Amport. *Hants* —2D **19**
Ancton. *W Sus* —3C **33**
Anderson. *Dors* —1D **37**
Andover. *Hants* —2A **20**
Andover Down. *Hants* —2A **20**
Andwell. *Hants* —1D **21**
Angmering. *W Sus* —3D **33**
Angmering-on-Sea. *W Sus* —3D **33**
Anmore. *Hants* —2D **31**
Anna Valley. *Hants* —2A **20**
Ansford. *Som* —3B **16**
Ansteadbrook. *Surr* —3C **23**
Ansty. *Wilts* —1A **28**
Anthill Common. *Hants* —2D **31**
Appledore. *Devn* —2A **24**
Appleford. *Oxon* —1C **11**
Applemore. *Hants* —3A **30**
Appleshaw. *Hants* —2A **20**
Appley. *Som* —1A **24**
Apse Heath. *IOW* —2C **41**
Apuldram. *W Sus* —3B **32**
Arborfield. *Wok* —3A **12**
Arborfield Cross. *Wok* —3A **12**
Arborfield Garrison. *Wok* —3A **12**
Ardington. *Oxon* —1B **10**
Arford. *Hants* —3B **22**
Arne. *Dors* —2A **38**
Arreton. *IOW* —2C **41**
Arundel. *W Sus* —3D **33**
Ascot. *Wind* —3C **13**
Ash. *Dors* —2D **27**
Ash. *Som* —1D **25**
Ash. *Surr* —1B **22**
Ashampstead. *W Ber* —2C **11**
Ashbrittle. *Som* —1A **24**
Ashbury. *Oxon* —1D **9**
Ashcott. *Som* —3D **15**
Ashe. *Hants* —1C **21**
Ashey. *IOW* —2C **41**
Ashfield. *Hants* —2A **30**
Ashford. *Hants* —2C **29**
Ashford. *Surr* —2D **13**
Ashford Hill. *Hants* —3C **11**
Ashill. *Devn* —2A **24**
Ashill. *Som* —2C **25**
Ashington. *W Sus* —2D **33**
Ashlett. *Hants* —3B **30**
Ashley. *Dors* —3C **29**
Ashley. *Hants* —1D **39**
(nr. New Milton)
Ashley. *Hants* —3A **20**
(nr. Winchester)
Ashley. *Wilts* —3D **7**
Ashley Heath. *Dors* —3C **29**
Ashmansworth. *Hants* —1B **20**
Ashmore. *Dors* —2A **28**
Ashmore Green. *W Ber* —3C **11**
Ash Priors. *Som* —1A **24**
Ashton Common. *Wilts* —1D **17**
Ashurst. *Hants* —2A **30**
Ash Vale. *Surr* —1B **22**
Ashwick. *Som* —2B **16**
Askerswell. *Dors* —1A **36**
Aston. *Wok* —1A **12**
Aston Tirrold. *Oxon* —1C **11**
Aston Upthorne. *Oxon* —1C **11**
Athelhampton. *Dors* —1C **37**
Athelney. *Som* —1C **25**
Atherfield. *IOW* —2B **40**
Atherington. *W Sus* —3D **33**
Atworth. *Wilts* —3D **7**
Aughton. *Wilts* —1D **19**
Aust. *S Glo* —1A **6**
Avebury. *Wilts* —3C **9**
Avebury Trusloe. *Wilts* —3B **8**
Avington. *Hants* —3C **21**
Avon. *Hants* —1C **39**
Avonmouth. *Bris* —2A **6**
Awbridge. *Hants* —1A **30**
Awliscombe. *Devn* —3A **24**
Axbridge. *Som* —1D **15**
Axford. *Hants* —2D **21**
Axford. *Wilts* —3D **9**
Axminster. *Devn* —1B **34**
Axmouth. *Devn* —1B **34**
Ayshford. *Devn* —2A **24**

B

Babcary. *Som* —1A **26**
Backwell. *N Som* —3D **5**
Badbury. *Swin* —1C **9**
Badgworth. *Som* —1C **15**
Badminton. *S Glo* —1D **7**
Badshot Lea. *Surr* —2B **22**
Bagley. *Som* —2D **15**
Bagnor. *W Ber* —3B **10**
Bagshot. *Surr* —3C **13**
Bagshot. *Wilts* —3A **10**
Bagstone. *S Glo* —1B **6**
Bailey Green. *Hants* —1D **31**
Ball Hill. *Hants* —3B **10**
Balls Cross. *W Sus* —1C **33**
Balmerlawn. *Hants* —3A **30**
Baltonsborough. *Som* —3A **16**
Bank. *Hants* —3D **29**
Bankland. *Som* —1C **25**
Banwell. *N Som* —1C **15**
Bapton. *Wilts* —3A **18**
Barford. *Hants* —3B **22**
Barford St Martin. *Wilts* —3B **18**
Barkham. *Wok* —3A **12**
Barlavington. *W Sus* —2C **33**
Barnham. *W Sus* —3C **33**
Barns Green. *W Sus* —1D **33**
Barri. *V Glam* —3A **4**
Barrington. *Som* —2C **25**
Barrow. *Som* —3C **17**
Barrow Common. *N Som* —3A **6**
Barrow Gurney. *N Som* —3A **6**
Barrow Street. *Wilts* —3D **17**
Barry. *V Glam* —3A **4**
Barry Island. *V Glam* —3A **4**
Bartley. *Hants* —2A **30**
Barton. *IOW* —2C **41**
Barton. *N Som* —1C **15**
Barton on Sea. *Hants* —1D **39**
Barton Stacey. *Hants* —2B **20**
Barton St David. *Som* —3A **16**
Barwick. *Som* —2A **26**
Bashley. *Hants* —1D **39**
Basingstoke. *Hants* —1D **21**
Bason Bridge. *Som* —2C **15**
Bassaleg. *Newp* —1B **4**
Bassett. *Sotn* —2B **30**
Batchworth. *Herts* —1D **13**
Batcombe. *Dors* —3B **26**
Batcombe. *Som* —3B **16**
Bath. *Bath* —3C **7**
Bathampton. *Bath* —3C **7**
Bathealton. *Som* —1A **24**
Batheaston. *Bath* —3C **7**
Bathford. *Bath* —3C **7**
Bathpool. *Som* —1B **24**
Bathway. *Som* —1A **16**
Battleborough. *Som* —1C **15**
Battramsley. *Hants* —1A **40**
Batt's Corner. *Surr* —2B **22**
Baughurst. *Hants* —3C **11**
Baulking. *Oxon* —1A **10**
Baverstock. *Wilts* —3B **18**
Bawdrip. *Som* —3C **15**
Baybridge. *Hants* —1C **31**
Baydon. *Wilts* —2D **9**
Bayford. *Som* —1C **27**
Beach. *S Glo* —2C **7**
Beachley. *Glos* —1A **6**
Beacon. *Devn* —3A **24**
Beacon Hill. *Surr* —3B **22**
Beaconsfield. *Buck* —1C **13**
Beaminster. *Dors* —3D **25**
Beanacre. *Wilts* —3A **8**
Bearwood. *Pool* —1B **38**
Beaulieu. *Hants* —3A **30**
Beauworth. *Hants* —1C **31**
Beckhampton. *Wilts* —3B **8**
Beckington. *Som* —1D **17**
Beckley. *Hants* —1D **39**
Bedchester. *Dors* —2D **27**
Beddau. *Rhon* —1A **4**
Bedham. *W Sus* —1D **33**
Bedhampton. *Hants* —3A **32**
Bedminster. *Bris* —2A **6**
Bedwas. *Cphy* —1A **4**
Beech. *Hants* —3D **21**
Beech Hill. *W Ber* —3D **11**
Beechingstoke. *Wilts* —1B **18**
Beedon. *W Ber* —2B **10**
Beenham. *W Ber* —3C **11**
Beer. *Devn* —2B **34**
Beer. *Som* —3D **15**
Beer Crocombe. *Som* —1C **25**
Beer Hackett. *Dors* —2B **26**
Beetham. *Som* —2B **24**
Began. *Card* —1B **4**
Belchalwell. *Dors* —3C **27**
Belchalwell Street. *Dors* —3C **27**
Bembridge. *IOW* —2D **41**
Bemerton. *Wilts* —3C **19**
Benson. *Oxon* —1D **11**
Bentley. *Hants* —2A **22**
Bentworth. *Hants* —2D **21**
Benville Lane. *Dors* —3A **26**
Bepton. *W Sus* —2B **32**
Bere Regis. *Dors* —1D **37**
Berkley. *Som* —2D **17**
Berrow. *Som* —1C **15**
Berwick Bassett. *Wilts* —2C **9**
Berwick St James. *Wilts* —3B **18**
Berwick St John. *Wilts* —1A **28**
Berwick St Leonard. *Wilts* —3A **18**
Bettiscombe. *Dors* —1D **35**
Bettws. *Newp* —1B **4**
Beverston. *Glos* —1D **7**
Bexleyhill. *W Sus* —1C **33**
Bickenhall. *Som* —2B **24**
Bicknoller. *Som* —3A **14**
Bickton. *Hants* —2C **29**
Biddestone. *Wilts* —2D **7**
Biddisham. *Som* —1C **15**
Bierley. *IOW* —3C **41**
Bighton. *Hants* —3D **21**
Bignor. *W Sus* —2C **33**
Billingshurst. *W Sus* —1D **33**
Bilsham. *W Sus* —3C **33**
Bincombe. *Dors* —2B **36**

Binegar. *Som* —2B **16**
Binfield. *Brac* —2B **12**
Binfield Heath. *Oxon* —2A **12**
Bingham's Melcombe. *Dors* —3C **27**
Binley. *Hants* —1B **20**
Binnegar. *Dors* —2D **37**
Binstead. *IOW* —1C **41**
Binstead. *W Sus* —3C **33**
Binsted. *Hants* —2A **22**
Birchgrove. *Card* —2A **4**
Birchwood. *Som* —2B **24**
Birdham. *W Sus* —3B **32**
Birdsmoor Gate. *Dors* —3C **25**
Bisham. *Wind* —1B **12**
Bishopdown. *Wilts* —3C **19**
Bishops Cannings. *Wilts* —3B **8**
Bishop's Caundle. *Dors* —2B **26**
Bishop's Down. *Dors* —2B **26**
Bishop's Green. *Hants* —3C **11**
Bishop's Hull. *Som* —1B **24**
Bishop's Lydeard. *Som* —1A **24**
Bishops Sutton. *Hants* —3D **21**
Bishopstoke. *Hants* —2B **30**
Bishopstone. *Swin* —1D **9**
Bishopstone. *Wilts* —1B **28**
Bishopstrow. *Wilts* —2D **17**
Bishop Sutton. *Bath* —1A **16**
Bishop's Waltham. *Hants* —2C **31**
Bishopswood. *Som* —2B **24**
Bishopsworth. *Bris* —3A **6**
Bishton. *Newp* —1C **5**
Bisley. *Surr* —1C **23**
Bisterne. *Hants* —3C **29**
Bisterne Close. *Hants* —3D **29**
Bitterne. *Sotn* —2B **30**
Bitton. *S Glo* —3B **6**
Bix. *Oxon* —1A **12**
Blackborough. *Devn* —3A **24**
Blackdown. *Dors* —3C **25**
Blackfield. *Hants* —3B **30**
Blackford. *Som* —2D **15**
(nr. Burnham-on-Sea)
Blackford. *Som* —1B **26**
(nr. Wincanton)
Blackgang. *IOW* —3B **40**
Blackheath. *Surr* —2D **23**
Blackland. *Wilts* —3B **8**
Blackmoor. *Hants* —3A **22**
Blacknest. *Hants* —2A **22**
Blackney. *Dors* —1D **35**
Blacknoll. *Dors* —2D **37**
Blacktown. *Newp* —1B **4**
Blackwater. *Hants* —1B **22**
Blackwater. *IOW* —2C **41**
Blackwater. *Som* —2B **24**
Blagdon. *N Som* —1A **16**
Blagdon Hill. *Som* —2B **24**
Blandford Camp. *Dors* —3A **28**
Blandford Forum. *Dors* —3D **27**
Blandford St Mary. *Dors* —3D **27**
Blashford. *Hants* —3C **29**
Blatchbridge. *Som* —2C **17**
Bleadney. *Som* —2D **15**
Bleadon. *N Som* —1C **15**
Blendworth. *Hants* —2A **32**
Blewbury. *Oxon* —1C **11**
Blissford. *Hants* —2C **29**
Bloxworth. *Dors* —1D **37**
Blunsdon St Andrew. *Swin* —1C **9**
Boarhunt. *Hants* —3D **31**
Bodenham. *Wilts* —1C **29**
Bognor Regis. *W Sus* —3C **33**
Boldre. *Hants* —1A **40**
Bolham Water. *Devn* —2A **24**
Bonchurch. *IOW* —3C **41**
Bonham. *Wilts* —3C **17**
Bonvilston. *V Glam* —2A **4**
Booker. *Buck* —1B **12**
Boorley Green. *Hants* —2C **31**
Borden. *W Sus* —1B **32**
Bordon. *Hants* —3B **22**
Boreham. *Wilts* —2D **17**
Boscombe. *Bour* —1C **39**
Boscombe. *Wilts* —3D **19**
Bosham. *W Sus* —3B **32**
Bothampstead. *W Ber* —2C **11**
Bothenhampton. *Dors* —1D **35**
Botley. *Hants* —2C **31**
Bottlesford. *Wilts* —1C **19**
Bouldnor. *IOW* —2A **40**
Bourne End. *Buck* —1B **12**
Bournemouth. *Bour* —1B **38**
Bournemouth Airport. *Dors* —1C **39**
Bourne, The. *Surr* —2B **22**
Bourton. *Dors* —3C **17**
Bourton. *N Som* —3C **5**
Bourton. *Oxon* —1D **9**
Bourton. *Wilts* —3B **8**
Boveney. *Buck* —2C **13**
Boveridge. *Dors* —2B **28**
Bovingdon Green. *Buck* —1B **12**
Bovington Camp. *Dors* —2D **37**
Bowcombe. *IOW* —2B **40**
Bowd. *Devn* —2A **34**
Bowden Hill. *Wilts* —3A **8**
Bowerchalke. *Wilts* —1B **28**
Bowerhill. *Wilts* —3A **8**
Bower Hinton. *Som* —2D **25**
Bowlhead Green. *Surr* —3C **23**
Bowlish. *Som* —2B **16**
Bowood. *Dors* —1D **35**
Box. *Wilts* —3D **7**
Boxford. *W Ber* —2B **10**
Boxgrove. *W Sus* —3C **33**
Boys Hill. *Dors* —2B **26**
Boyton. *Wilts* —3A **18**
Bracklesham. *W Sus* —1B **42**
Bracknell. *Brac* —3B **12**
Bradenstoke. *Wilts* —2B **8**
Bradfield. *W Ber* —2D **11**
Bradford Abbas. *Dors* —2A **26**
Bradford Leigh. *Wilts* —3D **7**
Bradford-on-Avon. *Wilts* —3D **7**
Bradford-on-Tone. *Som* —1A **24**
Bradford Peverell. *Dors* —1B **36**
Brading. *IOW* —2D **41**
Bradley. *Glos* —1C **7**
Bradley. *Hants* —2D **21**
Bradley Cross. *Som* —1D **15**
Bradley Green. *Som* —3B **14**
Bradley Stoke. *S Glo* —1B **6**
Bradpole. *Dors* —1D **35**
Braishfield. *Hants* —1A **30**
Brambridge. *Hants* —1B **30**
Bramdean. *Hants* —1D **31**
Bramley. *Hants* —1D **21**
Bramley. *Surr* —2D **23**
Bramley Green. *Hants* —1D **21**
Bramshaw. *Hants* —2D **29**
Bramshill. *Hants* —3A **12**
Bramshott. *Hants* —3B **22**
Branksome. *Pool* —1B **38**
Bransbury. *Hants* —2B **20**
Branscombe. *Devn* —2A **34**
Bransgore. *Hants* —1C **39**
Branstone. *IOW* —2C **41**
Bratton. *Wilts* —1A **18**
Bratton Seymour. *Som* —1B **26**
Bray. *Wind* —2C **13**
Bray Wick. *Wind* —2B **12**
Breach. *W Sus* —3A **32**
Breamore. *Hants* —2C **29**
Brean. *Som* —1B **14**
Bremhill. *Wilts* —2A **8**
Brent Knoll. *Som* —1C **15**
Briantspuddle. *Dors* —1D **37**
Bridgehampton. *Som* —1A **26**
Bridgemary. *Hants* —3C **31**
Bridgeyate. *S Glo* —2B **6**
Bridgwater. *Som* —3C **15**
Bridport. *Dors* —1D **35**
Brighstone. *IOW* —2B **40**
Brighton Hill. *Hants* —2D **21**
Brightwalton. *W Ber* —2B **10**
Brightwalton Green. *W Ber* —2B **10**
Brightwell-cum-Sotwell. *Oxon* —1C **11**
Brigmerston. *Wilts* —2C **19**
Brimpton. *W Ber* —3C **11**
Brinkworth. *Wilts* —1B **8**
Brinscombe. *Som* —1D **15**
Brislington. *S Glo* —2B **6**
Bristol. *Bris* —2A **6**
Bristol International Airport. *N Som* —3A **6**
Britford. *Wilts* —1C **29**
Britwell Salome. *Oxon* —1D **11**
Brixton Deverill. *Wilts* —3D **17**
Broad Blunsdon. *Swin* —1C **9**
Broadbridge. *W Sus* —3B **32**
Broadbridge Heath. *W Sus* —3D **23**
Broad Chalke. *Wilts* —1B **28**
Broadford Bridge. *W Sus* —1D **33**
Broadhembury. *Devn* —3A **24**
Broad Hinton. *Wilts* —2C **9**
Broad Laying. *Hants* —3B **10**
Broadmayne. *Dors* —2C **37**
Broadmere. *Hants* —2D **21**
Broad Oak. *Devn* —1A **34**
Broadoak. *Dors* —1D **35**
Broadoak. *Hants* —2C **31**
Broadshard. *Som* —2D **25**
Broadstone. *Pool* —1B **38**
Broad Town. *Wilts* —2B **8**
Broadway. *Som* —2C **25**
Broadwey. *Dors* —2B **36**
Broadwindsor. *Dors* —3D **25**
Brockbridge. *Hants* —2D **31**
Brockenhurst. *Hants* —3D **29**
Brockhurst. *Hants* —3D **31**
Brockley. *N Som* —3D **5**
Brokenborough. *Wilts* —1A **8**
Bromham. *Wilts* —3A **8**
Brompton Ralph. *Som* —3A **14**
Brook. *Hants* —2D **29**
(nr. Cadnam)
Brook. *Hants* —1A **30**
(nr. Romsey)
Brook. *IOW* —2A **40**
Brook. *Surr* —2D **23**
(nr. Guildford)
Brook. *Surr* —3C **23**
(nr. Haslemere)
Brooks Green. *W Sus* —1D **33**
Brookwood. *Surr* —1C **23**
Broomer's Corner. *W Sus* —1D **33**
Broomfield. *Som* —3B **14**
Broomhall. *Surr* —3C **13**
Broomhill. *Bris* —2B **6**
Broom Hill. *Dors* —3B **28**
Broughton. *Hants* —3A **20**
Broughton Gifford. *Wilts* —3D **7**
Brown Candover. *Hants* —3C **21**
Brunton. *Wilts* —1D **19**
Bruton. *Som* —3B **16**
Bryanston. *Dors* —3D **27**
Brympton. *Som* —2A **26**
Buckerell. *Devn* —3A **24**
Buckhorn Weston. *Dors* —1C **27**
Buckland Dinham. *Som* —1C **17**
Buckland Newton. *Dors* —3B **26**
Buckland Ripers. *Dors* —2B **36**
Buckland St Mary. *Som* —2B **24**
Bucklebury. *W Ber* —2C **11**
Bucklers Hard. *Hants* —1B **40**
Bucks Green. *W Sus* —3D **23**
Bucks Horn Oak. *Hants* —2B **22**
Budleigh Salterton. *Devn* —2A **34**
Bulford. *Wilts* —2C **19**
Bulford Camp. *Wilts* —2C **19**
Bulkington. *Wilts* —1A **18**
Burbage. *Wilts* —3D **9**
Burchett's Green. *Wind* —1B **12**
Burcombe. *Wilts* —3B **18**
Burcott. *Som* —2A **16**
Burghclere. *Hants* —3B **10**
Burghfield. *W Ber* —3D **11**
Burghfield Common. *W Ber* —3D **11**
Burghfield Hill. *W Ber* —3D **11**
Buriton. *Hants* —1A **32**
Burleigh. *Brac* —2C **13**
Burlescombe. *Devn* —2A **24**
Burleston. *Dors* —1C **37**
Burley. *Hants* —3D **29**
Burley Street. *Hants* —3D **29**
Burnett. *Bath* —3B **6**
Burnham. *Buck* —1C **13**
Burnham-on-Sea. *Som* —2C **15**
Burntcommon. *Surr* —1D **23**
Burnt Hill. *W Ber* —2C **11**
Burpham. *Surr* —1D **23**
Burpham. *W Sus* —3D **33**
Burridge. *Devn* —3C **25**
Burridge. *Hants* —2C **31**
Burrington. *N Som* —1D **15**
Burrow. *Devn* —2A **34**
Burrowbridge. *Som* —1C **25**
Burrowhill. *Surr* —3C **13**
Bursledon. *Hants* —3B **30**
Burstock. *Dors* —3D **25**
Burtle. *Som* —2D **15**
Burton. *Dors* —1C **39**
(nr. Christchurch)
Burton. *Dors* —1B **36**
(nr. Dorchester)
Burton. *Som* —2A **14**
Burton. *Wilts* —2D **7**
(nr. Chippenham)
Burton. *Wilts* —3D **17**
(nr. Warminster)
Burton Bradstock. *Dors* —2D **35**
Bury. *W Sus* —2D **33**
Bury Hill. *S Glo* —1C **7**
Busbridge. *Surr* —2C **23**
Bushey. *Dors* —2A **38**
Bushton. *Wilts* —2B **8**
Bussex. *Som* —3C **15**
Butcombe. *N Som* —3A **6**
Butleigh. *Som* —3A **16**
Butleigh Wootton. *Som* —3A **16**
Buttermere. *Wilts* —3A **10**
Buttsash. *Hants* —3B **30**
Byfleet. *Surr* —3D **13**
Byworth. *W Sus* —1C **33**

C

Cadley. *Wilts* —1D **19**
(nr. Ludgershall)
Cadley. *Wilts* —3D **9**
(nr. Marlborough)
Cadmore End. *Buck* —1A **12**
Cadnam. *Hants* —2A **30**
Caerau. *Card* —2A **4**
Caerdydd. *Card* —2A **4**
Caerffili. *Cphy* —1A **4**
Caerleon. *Newp* —1C **5**
Caerllion. *Newp* —1C **5**
Caerphilly. *Cphy* —1A **4**
Caerwent. *Mon* —1D **5**
Calbourne. *IOW* —2B **40**
Calcot Row. *W Ber* —2D **11**
Caldicot. *Mon* —1D **5**
Callow Hill. *Wilts* —1B **8**
Calmore. *Hants* —2A **30**
Calne. *Wilts* —2A **8**
Calshot. *Hants* —3B **30**
Calstone Wellington. *Wilts* —3B **8**
Camberley. *Surr* —3B **12**
Cameley. *Bath* —1B **16**
Camelsdale. *Surr* —3C **23**
Camerton. *Bath* —1B **16**
Canada. *Hants* —2D **29**
Cane End. *Oxon* —2D **11**
Canford Cliffs. *Pool* —2B **38**
Canford Magna. *Pool* —1B **38**
Cann. *Dors* —1D **27**
Cann Common. *Dors* —1D **27**
Cannington. *Som* —3B **14**
Canton. *Card* —2A **4**
Capel Llanilterne. *Card* —2A **4**
Capton. *Som* —3A **14**
Cardiff. *Card* —2A **4**
Cardiff Airport. *V Glam* —3A **4**
Carisbrooke. *IOW* —2B **40**
Carlingcott. *Bath* —1B **16**
Carrow Hill. *Mon* —1D **5**
Cartbridge. *Surr* —1D **23**
Carter's Clay. *Hants* —1A **30**
Cas-gwent. *Mon* —1A **6**
Cashmoor. *Dors* —2A **28**
Casnewydd. *Newp* —1C **5**
Castell-y-bwch. *Torf* —1B **4**
Castle. *Som* —2A **16**
Castle Cary. *Som* —3B **16**
Castle Combe. *Wilts* —2D **7**
Castle Green. *Surr* —3C **13**
Castleton. *Newp* —1B **4**
Castletown. *Dors* —3B **36**
Catcott. *Som* —3C **15**
Catherington. *Hants* —2D **31**
Catherston Leweston. *Dors* —1C **35**
Catisfield. *Hants* —3C **31**
Catmore. *W Ber* —1B **10**
Cat's Ash. *Newp* —1C **5**
Catsgore. *Som* —1A **26**
Catteshall. *Surr* —2C **23**
Cattistock. *Dors* —1A **36**
Caversham. *Read* —2A **12**
Caversham Heights. *Read* —2D **11**
Cerne Abbas. *Dors* —3B **26**
Chaddleworth. *W Ber* —2B **10**
Chaffcombe. *Som* —2C **25**
Chalbury. *Dors* —3B **28**
Chalbury Common. *Dors* —3B **28**
Chaldon Herring. *Dors* —2C **37**
Chale. *IOW* —3B **40**
Chale Green. *IOW* —3B **40**
Chalfont Common. *Buck* —1D **13**
Chalfont St Giles. *Buck* —1C **13**
Chalfont St Peter. *Buck* —1D **13**
Chalton. *Hants* —2A **32**
Chandler's Ford. *Hants* —1B **30**
Chantry. *Som* —2C **17**
Chapel Allerton. *Som* —1D **15**
Chapel Row. *W Ber* —3C **11**
Chapmanslade. *Wilts* —2D **17**
Chard. *Som* —3C **25**
Chard Junction. *Dors* —3C **25**

Chardstock. *Devn* —3C **25**
Charfield. *S Glo* —1C **7**
Charlcombe. *Bath* —3C **7**
Charlcutt. *Wilts* —2A **8**
Charleshill. *Surr* —2B **22**
Charlestown. *Dors* —3B **36**
Charlton. *Hants* —2A **20**
Charlton. *Oxon* —1B **10**
Charlton. *Som* —1B **16**
(nr. Radstock)
Charlton. *Som* —2B **16**
(nr. Shepton Mallet)
Charlton. *W Sus* —2B **32**
Charlton. *Wilts* —1A **8**
(nr. Malmesbury)
Charlton. *Wilts* —1C **19**
(nr. Pewsey)
Charlton. *Wilts* —1C **29**
(nr. Salisbury)
Charlton. *Wilts* —1A **28**
(nr. Shaftesbury)
Charlton Adam. *Som* —1A **26**
Charlton Horethorne. *Som* —1B **26**
Charlton Mackrell. *Som* —1A **26**
Charlton Marshall. *Dors* —3A **28**
Charlton Musgrove. *Som* —1C **27**
Charlton on the Hill. *Dors* —3D **27**
Charlwood. *Hants* —3D **21**
Charlynch. *Som* —3B **14**
Charminster. *Dors* —1B **36**
Charmouth. *Dors* —1C **35**
Charter Alley. *Hants* —1C **21**
Charterhouse. *Som* —1D **15**
Charvil. *Wok* —2A **12**
Chawton. *Hants* —3A **22**
Cheapside. *Wind* —3C **13**
Checkendon. *Oxon* —1D **11**
Cheddar. *Som* —1D **15**
Cheddon Fitzpaine. *Som* —1B **24**
Chedglow. *Wilts* —1A **8**
Chedington. *Dors* —3D **25**
Chedzoy. *Som* —3C **15**
Chelston. *Som* —1A **24**
Chelvey. *N Som* —3D **5**
Chelwood. *Bath* —3B **6**
Chelworth Lower Green. *Wilts* —1B **8**
Chelworth Upper Green. *Wilts* —1B **8**
Chelynch. *Som* —2B **16**
Chepstow. *Mon* —1A **6**
Cherhill. *Wilts* —2B **8**
Cheriton. *Devn* —3A **24**
Cheriton. *Hants* —1C **31**
Chertsey. *Surr* —3D **13**
Cheselbourne. *Dors* —1C **37**
Chesil. *Dors* —3B **36**
Chesterblade. *Som* —2B **16**
Chetnole. *Dors* —3B **26**
Chettle. *Dors* —2A **28**
Chew Magna. *Bath* —3A **6**
Chew Stoke. *Bath* —3A **6**
Chewton Keynsham. *Bath* —3B **6**
Chewton Mendip. *Som* —1A **16**
Chichester. *W Sus* —3B **32**
Chickerell. *Dors* —2B **36**
Chicklade. *Wilts* —3A **18**
Chidden. *Hants* —2D **31**
Chiddingfold. *Surr* —3C **23**
Chideock. *Dors* —1D **35**
Chidgley. *Som* —3A **14**
Chidham. *W Sus* —3A **32**
Chieveley. *W Ber* —2B **10**
Chilbolton. *Hants* —2A **20**
Chilcomb. *Hants* —1C **31**
Chilcombe. *Dors* —1A **36**
Chilcompton. *Som* —1B **16**
Child Okeford. *Dors* —2D **27**
Childrey. *Oxon* —1A **10**
Chilfrome. *Dors* —1A **36**
Chilgrove. *W Sus* —2B **32**
Chilhampton. *Wilts* —3B **18**
Chilland. *Hants* —3C **21**
Chillerton. *IOW* —2B **40**
Chillington. *Som* —2C **25**
Chilmark. *Wilts* —3A **18**
Chilthorne Domer. *Som* —2A **26**
Chilton. *Oxon* —1B **10**
Chilton Candover. *Hants* —2C **21**
Chilton Cantelo. *Som* —1A **26**
Chilton Foliat. *Wilts* —2A **10**
Chilton Polden. *Som* —3C **15**
Chilton Trinity. *Som* —3B **14**
Chilworth. *Hants* —2B **30**
Chilworth. *Surr* —2D **23**
Chineham. *Hants* —1D **21**
Chipley. *Som* —1A **24**
Chippenham. *Wilts* —2A **8**
Chipping Sodbury. *S Glo* —1C **7**
Chipstable. *Som* —1A **24**
Chirton. *Wilts* —1B **18**
Chisbridge Cross. *Buck* —1B **12**
Chisbury. *Wilts* —3D **9**
Chiselborough. *Som* —2D **25**
Chiseldon. *Swin* —2C **9**
Chithurst. *W Sus* —1B **32**
Chitterne. *Wilts* —2A **18**
Chittoe. *Wilts* —3A **8**
Chobham. *Surr* —3C **13**
Cholderton. *Wilts* —2D **19**
Cholsey. *Oxon* —1C **11**
Christchurch. *Dors* —1C **39**
Christian Malford. *Wilts* —2A **8**
Christmas Common. *Oxon* —1A **12**
Christon. *N Som* —1C **15**
Church Common. *Hants* —1A **32**
Church Crookham. *Hants* —1B **22**
Church End. *Hants* —1D **21**
Church End. *Wilts* —2B **8**
Church Green. *Devn* —1A **34**
Churchill. *Devn* —3C **25**
Churchill. *N Som* —1D **15**
Churchingford. *Som* —2B **24**
Church Knowle. *Dors* —2A **38**
Church Norton. *W Sus* —1B **42**
Churchstanton. *Som* —2A **24**
Church Village. *Rhon* —1A **4**
Churt. *Surr* —3B **22**
Chute Standen. *Wilts* —1A **20**
Cilfynydd. *Rhon* —1A **4**
Cippenham. *Slo* —1C **13**
Clandown. *Bath* —1B **16**
Clanfield. *Hants* —2D **31**
Clanville. *Hants* —2A **20**
Clanville. *Som* —3B **16**
Clapgate. *Dors* —3B **28**
Clapham. *W Sus* —3D **33**
Clapton. *Som* —3D **25**
(nr. Crewkerne)
Clapton. *Som* —1B **16**
(nr. Radstock)
Clapton-in-Gordano. *N Som* —2D **5**
Clatterford. *IOW* —2B **40**
Clatworthy. *Som* —3A **14**
Claverham. *N Som* —3D **5**
Claverton. *Bath* —3C **7**
Clawdd-coch. *V Glam* —2A **4**
Claygate. *Surr* —3D **13**
Clayhall. *Hants* —1D **41**
Clayhidon. *Devn* —2A **24**
Clay Hill. *Bris* —2B **6**
Clayhill. *Hants* —3A **30**
Claylake. *Dors* —3B **28**
Cleeve. *N Som* —3D **5**
Cleeve. *Oxon* —1D **11**
Clench Common. *Wilts* —3C **9**
Clevancy. *Wilts* —2B **8**
Clevedon. *N Som* —2D **5**
Cleverton. *Wilts* —1A **8**
Clewer. *Som* —1D **15**
Cliddesden. *Hants* —2D **21**
Clifton. *Bris* —2A **6**
Climping. *W Sus* —3C **33**
Cloford. *Som* —2C **17**
Closworth. *Som* —2A **26**
Clutton. *Bath* —1B **16**
Clyffe Pypard. *Wilts* —2B **8**
Coalpit Heath. *S Glo* —1B **6**
Coat. *Som* —1D **25**
Coate. *Swin* —1C **9**
Coate. *Wilts* —3B **8**
Coates. *W Sus* —2C **33**
Cobham. *Surr* —3D **13**
Cocking. *W Sus* —2B **32**
Cocking Causeway. *W Sus* —2B **32**
Cocklake. *Som* —2D **15**
Cockpole Green. *Wind* —1B **12**
Codford St Mary. *Wilts* —3A **18**
Codford St Peter. *Wilts* —3A **18**
Codmore Hill. *W Sus* —1D **33**
Codrington. *S Glo* —2C **7**
Coedkernew. *Newp* —1B **4**
Cogan. *V Glam* —2A **4**
Colaton Raleigh. *Devn* —2A **34**
Cold Ash. *W Ber* —3C **11**
Cold Ashton. *S Glo* —2C **7**
Colden Common. *Hants* —1B **30**
Cold Harbour. *Dors* —1A **38**
Coldharbour. *Surr* —2D **23**
Coldwaltham. *W Sus* —2D **33**
Cole. *Som* —3B **16**
Coleford. *Som* —2B **16**
Cole Henley. *Hants* —1B **20**
Colehill. *Dors* —3B **28**
Colemore. *Hants* —3A **22**
Colerne. *Wilts* —2D **7**
Coleshill. *Oxon* —1D **9**
Colestocks. *Devn* —3A **24**
Coley. *Bath* —1A **16**
Collingbourne Ducis. *Wilts* —1D **19**
Collingbourne Kingston. *Wilts* —1D **19**
Colliton. *Devn* —3A **24**
Colnbrook. *Buck* —2D **13**
Colworth. *W Sus* —3C **33**
Colyford. *Devn* —1B **34**
Colyton. *Devn* —1B **34**
Combe. *W Ber* —3A **10**
Combe Almer. *Dors* —1A **38**
Combe Common. *Surr* —3C **23**
Combe Down. *Bath* —3C **7**
Combe Florey. *Som* —3A **14**
Combe Hay. *Bath* —1C **17**
Combe Raleigh. *Devn* —3A **24**
Combe St Nicholas. *Som* —2C **25**
Combpyne. *Devn* —1B **34**
Combwich. *Som* —2B **14**
Common Platt. *Wilts* —1C **9**
Common, The. *Wilts* —3D **19**
(nr. Salisbury)
Common, The. *Wilts* —1B **8**
(nr. Swindon)
Compton. *Hants* —1B **30**
Compton. *Surr* —2C **23**
Compton. *W Ber* —2C **11**
Compton. *W Sus* —2A **32**
Compton. *Wilts* —1C **19**
Compton Abbas. *Dors* —2D **27**
Compton Bassett. *Wilts* —2B **8**
Compton Beauchamp. *Oxon* —1D **9**
Compton Bishop. *Som* —1C **15**
Compton Chamberlayne. *Wilts* —1B **28**
Compton Dando. *Bath* —3B **6**
Compton Dundon. *Som* —3D **15**
Compton Greenfield. *S Glo* —1A **6**
Compton Martin. *Bath* —1A **16**
Compton Pauncefoot. *Som* —1B **26**
Compton Valence. *Dors* —1A **36**
Coneyhurst Common. *W Sus* —1D **33**
Conford. *Hants* —3B **22**
Congresbury. *N Som* —3D **5**
Conham. *S Glo* —2B **6**
Conock. *Wilts* —1B **18**
Cookham. *Wind* —1B **12**
Cookham Dean. *Wind* —1B **12**
Cookham Rise. *Wind* —1B **12**
Cookley Green. *Oxon* —1D **11**
Coolham. *W Sus* —1D **33**
Coombe. *Devn* —1A **34**
Coombe. *Glos* —1C **7**
Coombe. *Hants* —1D **31**
Coombe. *Wilts* —1C **19**
Coombe Bissett. *Wilts* —1C **29**
Coombe Keynes. *Dors* —2D **37**
Coombe Street. *Som* —3C **17**
Cootham. *W Sus* —2D **33**
Copythorne. *Hants* —2A **30**
Corfe. *Som* —2B **24**
Corfe Castle. *Dors* —2A **38**
Corfe Mullen. *Dors* —1A **38**
Corhampton. *Hants* —1D **31**
Corscombe. *Dors* —3A **26**
Corsham. *Wilts* —2D **7**
Corsley. *Wilts* —2D **17**
Corsley Heath. *Wilts* —2D **17**
Corston. *Bath* —3B **6**
Corston. *Wilts* —1A **8**
Corton. *Wilts* —2A **18**
Corton Denham. *Som* —1B **26**
Coryates. *Dors* —2B **36**
Coscote. *Oxon* —1C **11**
Cosham. *Port* —3D **31**
Cosmeston. *V Glam* —3A **4**
Cossington. *Som* —2C **15**
Cothelstone. *Som* —3A **14**
Cotleigh. *Devn* —3B **24**
Coultershaw Bridge. *W Sus* —2C **33**
Coultings. *Som* —2B **14**
Countess. *Wilts* —2C **19**
Courtway. *Som* —3B **14**
Cove. *Hants* —1B **22**
Covingham. *Swin* —1C **9**
Cowes. *IOW* —1B **40**
Cowley. *G Lon* —1D **13**
Cowplain. *Hants* —2D **31**
Cowslip Green. *N Som* —3D **5**
Cox Green. *Surr* —3D **23**
Coxley. *Som* —2A **16**
Crab Orchard. *Dors* —3B **28**
Craddock. *Devn* —2A **24**
Cranborne. *Dors* —2B **28**
Cranbourne. *Brac* —2C **13**
Cranford. *G Lon* —2D **13**
Cranleigh. *Surr* —3D **23**
Cranmore. *IOW* —1A **40**
Crawley. *Devn* —3B **24**
Crawley. *Hants* —3B **20**
Cray's Pond. *Oxon* —1D **11**
Crazies Hill. *Wok* —1A **12**
Creech. *Dors* —2A **38**
Creech Heathfield. *Som* —1B **24**
Creech St Michael. *Som* —1B **24**
Creekmoor. *Pool* —1A **38**
Creigiau. *Card* —1A **4**
Crendell. *Dors* —2B **28**
Crewkerne. *Som* —3D **25**
Cribbs Causeway. *S Glo* —2A **6**
Crick. *Mon* —1D **5**
Cricket Hill. *Hants* —3B **12**
Cricket Malherbie. *Som* —2C **25**
Cricket St Thomas. *Som* —3C **25**
Crickham. *Som* —2D **15**
Cricklade. *Wilts* —1B **8**
Crimchard. *Som* —3C **25**
Cripplestyle. *Dors* —2B **28**
Crocker End. *Oxon* —1A **12**
Crockerhill. *Hants* —3C **31**
Crockerton. *Wilts* —2D **17**
Croes-y-mwyalch. *Newp* —1C **5**
Croford. *Som* —1A **24**
Crofton. *Wilts* —3D **9**
Cromhall. *S Glo* —1B **6**
Cromhall Common. *S Glo* —1B **6**
Crondall. *Hants* —2A **22**
Crooked Soley. *Wilts* —2A **10**
Crookham. *W Ber* —3C **11**
Crookham Village. *Hants* —1A **22**
Croscombe. *Som* —2A **16**
Cross. *Som* —1D **15**
Crossbush. *W Sus* —3D **33**
Cross Inn. *Rhon* —1A **4**
Crosskeys. *Cphy* —1B **4**
Crossways. *Dors* —2C **37**
Croucheston. *Wilts* —1B **28**
Crouch Hill. *Dors* —2C **27**
Crow. *Hants* —3C **29**
Crowcombe. *Som* —3A **14**
Crowdhill. *Hants* —2B **30**
Crowmarsh Gifford. *Oxon* —1D **11**
Crowthorne. *Brac* —3B **12**
Crudwell. *Wilts* —1A **8**
Crux Easton. *Hants* —1B **20**
Cucklington. *Som* —1C **27**
Cudworth. *Som* —2C **25**
Culm Davy. *Devn* —2A **24**
Culmstock. *Devn* —2A **24**
Cupernham. *Hants* —1A **30**
Curbridge. *Hants* —2C **31**
Curdridge. *Hants* —2C **31**
Curland. *Som* —2B **24**
Curridge. *W Ber* —2B **10**
Curry Mallet. *Som* —1C **25**
Curry Rivel. *Som* —1C **25**
Cwmfelinfach. *Cphy* —1A **4**
Cyncoed. *Card* —1A **4**

D

Daggons. *Dors* —2C **29**
Dalwood. *Devn* —3B **24**
Damerham. *Hants* —2C **29**
Daneshill. *Hants* —1D **21**
Datchet. *Wind* —2C **13**
Dauntsey. *Wilts* —1A **8**
Dauntsey Green. *Wilts* —1A **8**
Dauntsey Lock. *Wilts* —1A **8**
Dean. *Dors* —2A **28**
Dean. *Hants* —2C **31**
(nr. Bishop's Waltham)
Dean. *Hants* —3B **20**
(nr. Winchester)
Dean. *Som* —2B **16**
Deane. *Hants* —1C **21**
Deanland. *Dors* —2A **28**
Deanlane End. *W Sus* —2A **32**
Deepcut. *Surr* —1C **23**
Denchworth. *Oxon* —1A **10**
Denham. *Buck* —1D **13**
Denham Green. *Buck* —1D **13**
Denmead. *Hants* —2D **31**
Deptford. *Wilts* —3B **18**
Derry Hill. *Wilts* —2A **8**

Devizes. *Wilts* —3B **8**
Dewlish. *Dors* —1C **37**
Dial Green. *W Sus* —1C **33**
Dial Post. *W Sus* —2D **33**
Dibberford. *Dors* —3D **25**
Dibden. *Hants* —3B **30**
Dibden Purlieu. *Hants* —3B **30**
Didcot. *Oxon* —1C **11**
Didling. *W Sus* —2B **32**
Didmarton. *Glos* —1D **7**
Dilton Marsh. *Wilts* —2D **17**
Dimmer. *Som* —3B **16**
Dinas Powys. *V Glam* —2A **4**
Dinder. *Som* —2A **16**
Dinnington. *Som* —2D **25**
Dinton. *Wilts* —3B **18**
Dipley. *Hants* —1A **22**
Dippenhall. *Surr* —2B **22**
Ditchampton. *Wilts* —3B **18**
Ditcheat. *Som* —3B **16**
Ditteridge. *Wilts* —3D **7**
Dodington. *Som* —2A **14**
Dodington. *S Glo* —1C **7**
Dogmersfield. *Hants* —1A **22**
Donhead St Andrew. *Wilts* —1A **28**
Donhead St Mary. *Wilts* —1A **28**
Doniford. *Som* —2A **14**
Donkey Town. *Surr* —3C **13**
Donnington. *W Ber* —3B **10**
Donnington. *W Sus* —3B **32**
Donyatt. *Som* —2C **25**
Dorchester. *Dors* —1B **36**
Dorking. *Surr* —2D **23**
Dorney. *Buck* —2C **13**
Dottery. *Dors* —1D **35**
Doughton. *Glos* —1D **7**
Doulting. *Som* —2B **16**
Dowlands. *Devn* —1B **34**
Dowlesgreen. *Wok* —3B **12**
Dowlish Wake. *Som* —2C **25**
Downend. *IOW* —2C **41**
Downend. *S Glo* —2B **6**
Downend. *W Ber* —2B **10**
Downhead. *Som* —2B **16**
(nr. Frome)
Downhead. *Som* —1A **26**
(nr. Yeovil)
Downside. *Som* —1B **16**
(nr. Chilcompton)
Downside. *Som* —2B **16**
(nr. Shepton Mallet)
Downside. *Surr* —1D **23**
Downton. *Hants* —1D **39**
Downton. *Wilts* —1C **29**
Doynton. *S Glo* —2C **7**
Draethen. *Cphy* —1B **4**
Dragons Green. *W Sus* —1D **33**
Draycot Foliat. *Swin* —2C **9**
Draycott. *Som* —1D **15**
(nr. Cheddar)
Draycott. *Som* —1A **26**
(nr. Yeovil)
Drayton. *Port* —3D **31**
Drayton. *Som* —1D **25**
Drimpton. *Dors* —3D **25**
Droop. *Dors* —3C **27**
Drope. *V Glam* —2A **4**
Droxford. *Hants* —2D **31**
Duck Street. *Hants* —2A **20**
Dudsbury. *Dors* —1B **38**
Dulcote. *Som* —2A **16**
Dulford. *Devn* —3A **24**
Dummer. *Hants* —2C **21**
Dumpford. *W Sus* —1B **32**
Dunball. *Som* —2C **15**
Dunbridge. *Hants* —1A **30**
Duncton. *W Sus* —2C **33**
Dundon. *Som* —3D **15**
Dundridge. *Hants* —2C **31**
Dundry. *N Som* —3A **6**
Dunge. *Wilts* —1D **17**
Dunkerton. *Bath* —1C **17**
Dunkeswell. *Devn* —3A **24**
Dunkirk. *S Glo* —1C **7**
Dunkirk. *Wilts* —3A **8**
Dunley. *Hants* —1B **20**
Dunsden Green. *Oxon* —2A **12**
Dunsfold. *Surr* —3D **23**
Duntish. *Dors* —3B **26**
Durleigh. *Som* —3B **14**
Durley. *Hants* —2C **31**
Durley. *Wilts* —3D **9**
Durley Street. *Hants* —2C **31**
Durns Town. *Hants* —1D **39**
Durrants. *Hants* —2A **32**
Durrington. *W Sus* —3D **33**
Durrington. *Wilts* —2C **19**
Durston. *Som* —1B **24**
Durweston. *Dors* —3D **27**
Dyffryn. *V Glam* —2A **4**
Dyrham. *S Glo* —2C **7**

E

Earley. *Wok* —2A **12**
Earnley. *W Sus* —1B **42**
Eartham. *W Sus* —3C **33**
Earthcott Green. *S Glo* —1B **6**
Easebourne. *W Sus* —1B **32**
Eashing. *Surr* —2C **23**
East Aberthaw. *V Glam* —3A **4**
East Anton. *Hants* —2A **20**
East Ashling. *W Sus* —3B **32**
East Aston. *Hants* —2B **20**
East Bagborough. *Som* —3A **14**
East Beach. *W Sus* —1B **42**
East Bedfont. *G Lon* —2D **13**
East Bloxworth. *Dors* —1D **37**
East Boldre. *Hants* —3A **30**
East Brent. *Som* —1C **15**
East Budleigh. *Devn* —2A **34**
East Burnham. *Buck* —1C **13**
East Burton. *Dors* —2D **37**
Eastbury. *Herts* —1D **13**
Eastbury. *W Ber* —2A **10**
East Chaldon. *Dors* —2C **37**
East Challow. *Oxon* —1A **10**
East Chelborough. *Dors* —3A **26**
East Chinnock. *Som* —2D **25**
East Chisenbury. *Wilts* —1C **19**
East Clandon. *Surr* —1D **23**
East Clevedon. *N Som* —2D **5**
East Coker. *Som* —2A **26**
East Combe. *Som* —3A **14**
East Compton. *Som* —2B **16**
Eastcote. *G Lon* —1D **13**
Eastcott. *Wilts* —1B **18**
East Coulston. *Wilts* —1A **18**
Eastcourt. *Wilts* —3D **9**
(nr. Pewsey)
Eastcourt. *Wilts* —1A **8**
(nr. Tetbury)
East Cowes. *IOW* —1C **41**
East Cranmore. *Som* —2B **16**
East Creech. *Dors* —2A **38**
East Dean. *Hants* —1D **29**
East Dean. *W Sus* —2C **33**
East Dundry. *N Som* —3A **6**
East End. *Dors* —1A **38**
East End. *Hants* —1A **40**
(nr. Lymington)
East End. *Hants* —3B **10**
(nr. Newbury)
East End. *N Som* —3D **5**
East End. *Som* —1A **16**
Easter Compton. *S Glo* —1A **6**
Eastergate. *W Sus* —3C **33**
Easterton. *Wilts* —1B **18**
Eastertown. *Som* —1C **15**
East Everleigh. *Wilts* —1D **19**
East Garston. *W Ber* —2A **10**
East Ginge. *Oxon* —1B **10**
East Grafton. *Wilts* —3D **9**
East Grimstead. *Wilts* —1D **29**
East Hagbourne. *Oxon* —1C **11**
Easthampstead. *Brac* —3B **12**
East Hanney. *Oxon* —1B **10**
East Harnham. *Wilts* —1C **29**
East Harptree. *Bath* —1A **16**
East Harting. *W Sus* —2B **32**
East Hatch. *Wilts* —1A **28**
Eastheath. *Wok* —3B **12**
East Hendred. *Oxon* —1B **10**
East Horrington. *Som* —2A **16**
East Horsley. *Surr* —1D **23**
East Howe. *Bour* —1B **38**
East Huntspill. *Som* —2C **15**
East Ilsley. *W Ber* —1B **10**
East Kennett. *Wilts* —3C **9**
East Knighton. *Dors* —2D **37**
East Knoyle. *Wilts* —3D **17**
East Lambrook. *Som* —2D **25**
East Lavant. *W Sus* —3B **32**
East Lavington. *W Sus* —2C **33**
Eastleigh. *Hants* —2B **30**
East Liss. *Hants* —1A **32**
East Lockinge. *Oxon* —1B **10**
East Lulworth. *Dors* —2D **37**
East Lydford. *Som* —3A **16**
East Marden. *W Sus* —2B **32**
East Meon. *Hants* —1D **31**
East Molesey. *Surr* —3D **13**
East Morden. *Dors* —1A **38**
Eastney. *Port* —1D **41**
East Oakley. *Hants* —1C **21**
Easton. *Dors* —3B **36**
Easton. *Hants* —3C **21**
Easton. *Som* —2A **16**
Easton. *Wilts* —2D **7**
Easton Grey. *Wilts* —1D **7**
Easton-in-Gordano. *N Som* —2A **6**
Easton Royal. *Wilts* —3D **9**
East Orchard. *Dors* —2D **27**
East Pennard. *Som* —3A **16**
East Preston. *W Sus* —3D **33**
East Quantoxhead. *Som* —2A **14**
East Shefford. *W Ber* —2A **10**
East Stoke. *Dors* —2D **37**
East Stoke. *Som* —2D **25**
East Stour. *Dors* —1D **27**
East Stratton. *Hants* —2C **21**
East Tisted. *Hants* —3A **22**
East Tytherley. *Hants* —1D **29**
East Tytherton. *Wilts* —2A **8**
East Wellow. *Hants* —1A **30**
East Winterslow. *Wilts* —3D **19**
East Wittering. *W Sus* —1A **42**
East Woodhay. *Hants* —3B **10**
East Woodlands. *Som* —2C **17**
East Worldham. *Hants* —3A **22**
Ebbesbourne Wake. *Wilts* —1A **28**
Ebblake. *Dors* —3C **29**
Ecchinswell. *Hants* —1C **21**
Eddington. *W Ber* —3A **10**
Edgarley. *Som* —3A **16**
Edington. *Som* —3C **15**
Edington. *Wilts* —1A **18**
Edingworth. *Som* —1C **15**
Edithmead. *Som* —2C **15**
Edmondsham. *Dors* —2B **28**
Efail Isaf. *Rhon* —1A **4**
Effingham. *Surr* —1D **23**
Effingham Common. *Surr* —1D **23**
Egbury. *Hants* —1B **20**
Egham. *Surr* —2D **13**
Egham Hythe. *Surr* —2D **13**
Egypt. *Buck* —1C **13**
Egypt. *Hants* —2B **20**
Elberton. *S Glo* —1B **6**
Elbridge. *W Sus* —3C **33**
Elcombe. *Swin* —1C **9**
Elcot. *W Ber* —3A **10**
Eling. *Hants* —2A **30**
Eling. *W Ber* —2C **11**
Ellen's Green. *Surr* —3D **23**
Ellingham. *Hants* —3C **29**
Ellisfield. *Hants* —2D **21**
Elmfield. *IOW* —1C **41**
Elm Hill. *Dors* —1D **27**
Elstead. *Surr* —2C **23**
Elsted. *W Sus* —2B **32**
Elsted Marsh. *W Sus* —1B **32**
Elston. *Wilts* —2B **18**
Elworth. *Dors* —2A **36**
Elworthy. *Som* —3A **14**
Ely. *Card* —2A **4**
Emborough. *Som* —1B **16**
Emery Down. *Hants* —3D **29**
Emmbrook. *Wok* —3A **12**
Emmer Green. *Read* —2A **12**
Empshott. *Hants* —3A **22**
Emsworth. *Hants* —3A **32**
Enborne. *W Ber* —3B **10**
Enborne Row. *W Ber* —3B **10**
Enford. *Wilts* —1C **19**
Engine Common. *S Glo* —1B **6**
Englefield. *W Ber* —2D **11**
Englefield Green. *Surr* —2C **13**
Englishcombe. *Bath* —3C **7**
Enham Alamein. *Hants* —2A **20**
Enmore. *Som* —3B **14**
Ensbury. *Bour* —1B **38**
Erlestoke. *Wilts* —1A **18**
Esher. *Surr* —3D **13**
Etchilhampton. *Wilts* —3B **8**
Eton. *Wind* —2C **13**
Eton Wick. *Wind* —2C **13**
Even Swindon. *Swin* —1C **9**
Evercreech. *Som* —3B **16**
Everleigh. *Wilts* —1D **19**
Evershot. *Dors* —3A **26**
Eversley. *Hants* —3A **12**
Eversley Cross. *Hants* —3A **12**
Everton. *Hants* —1D **39**
Ewelme. *Oxon* —1D **11**
Ewhurst. *Surr* —2D **23**
Ewhurst Green. *Surr* —3D **23**
Ewshot. *Hants* —2B **22**
Exbury. *Hants* —3B **30**
Exlade Street. *Oxon* —1D **11**
Exton. *Hants* —1D **31**
Eype. *Dors* —1D **35**

F

Faccombe. *Hants* —1A **20**
Failand. *N Som* —2A **6**
Fairlands. *Surr* —1C **23**
Fairmile. *Devn* —1A **34**
Fairmile. *Surr* —3D **13**
Fair Oak. *Hants* —2B **30**
(nr. Eastleigh)
Fair Oak. *Hants* —3C **11**
(nr. Kingsclere)
Fair Oak Green. *Hants* —3D **11**
Fairwater. *Card* —2A **4**
Falfield. *S Glo* —1B **6**
Fareham. *Hants* —3C **31**
Farleigh. *N Som* —3D **5**
Farleigh Hungerford. *Som* —1D **17**
Farleigh Wallop. *Hants* —2D **21**
Farleigh Wick. *Wilts* —3D **7**
Farley. *N Som* —2D **5**
Farley. *Wilts* —1D **29**
Farley Green. *Surr* —2D **23**
Farley Hill. *Wok* —3A **12**
Farlington. *Port* —3D **31**
Farmborough. *Bath* —3B **6**
Farnborough. *Hants* —1B **22**
Farnborough. *W Ber* —1B **10**
Farncombe. *Surr* —2C **23**
Farnham. *Dors* —2A **28**
Farnham. *Surr* —2B **22**
Farnham Common. *Buck* —1C **13**
Farnham Royal. *Buck* —1C **13**
Farrington. *Dors* —2D **27**
Farrington Gurney. *Bath* —1B **16**
Farway. *Devn* —1A **34**
Faulkland. *Som* —1C **17**
Fawley. *Buck* —1A **12**
Fawley. *Hants* —3B **30**
Fawley. *W Ber* —1A **10**
Felpham. *W Sus* —3C **33**
Feltham. *G Lon* —2D **13**
Felthamhill. *G Lon* —2D **13**
Felton. *N Som* —3A **6**
Feniton. *Devn* —1A **34**
Fenny Bridges. *Devn* —1A **34**
Ferndown. *Dors* —3B **28**
Fernham. *Oxon* —1D **9**
Fernhurst. *W Sus* —1B **32**
Ferring. *W Sus* —3D **33**
Fetcham. *Surr* —1D **23**
Ffont-y-gari. *V Glam* —3A **4**
Fiddington. *Som* —2B **14**
Fiddleford. *Dors* —2D **27**
Fifehead Magdalen. *Dors* —1C **27**
Fifehead Neville. *Dors* —2C **27**
Fifehead St Quintin. *Dors* —2C **27**
Fifield. *Wilts* —1C **19**
Fifield. *Wind* —2C **13**
Fifield Bavant. *Wilts* —1B **28**
Figheldean. *Wilts* —2C **19**
Filford. *Dors* —1D **35**
Filton. *Bris* —2B **6**
Finchampstead. *Wok* —3A **12**
Finchdean. *Hants* —2A **32**
Findon. *W Sus* —3D **33**
Fingest. *Buck* —1A **12**
Firsdown. *Wilts* —3D **19**
Fishbourne. *IOW* —1C **41**
Fishbourne. *W Sus* —3B **32**
Fisher's Pond. *Hants* —1B **30**
Fisherstreet. *W Sus* —3C **23**
Fisherton de la Mere. *Wilts* —3A **18**
Fishpond Bottom. *Dors* —1C **35**
Fishponds. *Bris* —2B **6**
Fittleton. *Wilts* —2C **19**
Fittleworth. *W Sus* —2D **33**
Fitzhead. *Som* —1A **24**
Five Bells. *Som* —2A **14**
Fivehead. *Som* —1C **25**
Five Oaks. *W Sus* —1D **33**
Flackwell Heath. *Buck* —1B **12**
Flansham. *W Sus* —3C **33**
Flax Bourton. *N Som* —3A **6**
Flaxpool. *Som* —3A **14**
Fleet. *Dors* —2B **36**

Fleet. Hants —1B 22
(nr. Farnborough)
Fleet. Hants —3A 32
(nr. South Hayling)
Flexford. Surr —1C 23
Fluxton. Devn —1A 34
Foddington. Som —1A 26
Folke. Dors —2B 26
Folly, The. W Ber —3B 10
Fonthill Bishop. Wilts —3A 18
Fonthill Gifford. Wilts —3A 18
Fontmell Magna. Dors —2D 27
Fontwell. W Sus —3C 33
Font-y-gary. V Glam —3A 4
Ford. Som —1A 16
(nr. Wells)
Ford. Som —1A 24
(nr. Wiveliscombe)
Ford. W Sus —3D 33
Ford. Wilts —2D 7
(nr. Chippenham)
Ford. Wilts —3C 19
(nr. Salisbury)
Fordingbridge. Hants —2C 29
Ford Street. Som —2A 24
Forest Green. Surr —2D 23
Forestside. W Sus —2A 32
Forston. Dors —1B 36
Forton. Hants —2B 20
Forton. Som —3C 25
Fortuneswell. Dors —3B 36
Forty Green. Buck —1C 13
Fosbury. Wilts —1A 20
Four Forks. Som —3B 14
Four Marks. Hants —3D 21
Fovant. Wilts —1B 28
Fox Corner. Surr —1C 23
Foxcote. Som —1C 17
Foxham. Wilts —2A 8
Fox Lane. Hants —1B 22
Foxley. Wilts —1D 7
Frampton. Dors —1B 36
Frampton Cotterell. S Glo —1B 6
Fratton. Port —3D 31
Freefolk Priors. Hants —2B 20
Frensham. Surr —2B 22
Freshford. Bath —3C 7
Freshwater. IOW —2A 40
Freshwater Bay. IOW —2A 40
Friar Waddon. Dors —2B 36
Friday Street. Surr —2D 23
Frieth. Buck —1A 12
Frilsham. W Ber —2C 11
Frimley. Surr —1B 22
Frimley Green. Surr —1B 22
Fritham. Hants —2D 29
Frogham. Hants —2C 29
Frogmore. Hants —3B 12
Frome. Som —2C 17
Fromefield. Som —2C 17
Frome St Quintin. Dors —3A 26
Froxfield. Wilts —3D 9
Froxfield Green. Hants —1A 32
Fryern Hill. Hants —1B 30
Fugglestone St Peter. Wilts —3C 19
Fulflood. Hants —1B 30
Fulford. Som —1B 24
Fullerton. Hants —3A 20
Fulmer. Buck —1C 13
Fulwood. Som —1B 24
Funtington. W Sus —3B 32
Funtley. Hants —3C 31
Furley. Devn —3B 24
Furzebrook. Dors —2A 38
Furzeley Corner. Hants —2D 31
Furzey Lodge. Hants —3A 30
Furzley. Hants —2D 29
Fyfield. Hants —2D 19
Fyfield. Wilts —3C 9
Fyning. W Sus —1B 32

G

Galhampton. Som —1B 26
Gallowstree Common. Oxon —1D 11
Galmington. Som —1B 24
Galton. Dors —2C 37
Gardeners Green. Wok —3B 12
Gare Hill. Som —2C 17
Garsdon. Wilts —1A 8
Gasper. Wilts —3C 17
Gastard. Wilts —3D 7
Gatcombe. IOW —2B 40
Gaunt's Common. Dors —3B 28
Gaunt's Earthcott. S Glo —1B 6
Gay Street. W Sus —1D 33
George Green. Buck —1C 13
Gerrards Cross. Buck —1C 13
Giddeahall. Wilts —2D 7
Gillingham. Dors —1D 27
Gittisham. Devn —1A 34
Glanvilles Wootton. Dors —3B 26
Glastonbury. Som —3D 15
Glyncoch. Rhon —1A 4
Glyntaff. Rhon —1A 4
Goatacre. Wilts —2B 8
Goathill. Dors —2B 26
Goathurst. Som —3B 14
Godalming. Surr —2C 23
Godford Cross. Devn —3A 24
Godmanstone. Dors —1B 36
Godshill. Hants —2C 29
Godshill. IOW —2C 41
Goldcliff. Newp —1C 5
Golden Pot. Hants —2A 22
Gomeldon. Wilts —3C 19
Gomshall. Surr —2D 23
Goodworth Clatford. Hants —2A 20
Goose Green. S Glo —1C 7
Goosey. Oxon —1A 10
Gores. Wilts —1C 19
Goring. Oxon —1D 11
Goring-by-Sea. W Sus —3D 33
Goring Heath. Oxon —2D 11
Gosport. Hants —3C 31
Graffham. W Sus —2C 33
Grafham. Surr —2D 23
Grangetown. Card —2A 4
Grateley. Hants —2D 19
Grayshott. Hants —3B 22
Grayswood. Surr —3C 23
Grazeley. Wok —3D 11
Great Bedwyn. Wilts —3D 9
Great Bookham. Surr —1D 23
Great Chalfield. Wilts —3D 7
Great Cheverell. Wilts —1A 18
Great Coxwell. Oxon —1D 9
Great Durnford. Wilts —3C 19
Great Elm. Som —2C 17
Greatham. Hants —3A 22
Greatham. W Sus —2D 33
Great Hinton. Wilts —1A 18
Great Shefford. W Ber —2A 10
Great Shoddesden. Hants —2D 19
Great Somerford. Wilts —1A 8
Great Thorness. IOW —1B 40
Great Wishford. Wilts —3B 18
Greendown. Som —1A 16
Greenfield. Oxon —1A 12
Greenford. G Lon —1D 13
Greenham. Dors —3D 25
Greenham. Som —1A 24
Greenham. W Ber —3B 10
Green Ore. Som —1A 16
Green, The. Wilts —3D 17
Greenway. V Glam —2A 4
Greinton. Som —3D 15
Greylake. Som —3C 15
Greywell. Hants —1A 22
Griggs Green. Hants —3B 22
Grimstone. Dors —1B 36
Grittenham. Wilts —1B 8
Grittleton. Wilts —2D 7
Groes-faen. Rhon —1A 4
Groes-wen. Cphy —1A 4
Grove. Dors —3B 36
Grove. Oxon —1A 10
Guildford. Surr —2C 23
Gundleton. Hants —3D 21
Gunville. IOW —2B 40
Gurnard. IOW —1B 40
Gurney Slade. Som —2B 16
Gussage All Saints. Dors —2B 28
Gussage St Andrew. Dors —2A 28
Gussage St Michael. Dors —2A 28
Guy's Marsh. Dors —1D 27
Gwaelod-y-garth. Card —1A 4
Gwaun-y-bara. Cphy —1A 4

H

Habin. W Sus —1B 32
Hale. Hants —2C 29
Hale. Surr —2B 22
Halfway. W Ber —3B 10
Hallatrow. Bath —1B 16
Hallen. S Glo —1A 6
Halnaker. W Sus —3C 33
Halse. Som —1A 24
Halstock. Dors —3A 26
Halsway. Som —3A 14
Ham. Devn —3B 24
Ham. Som —2B 24
(nr. Ilminster)
Ham. Som —1B 24
(nr. Taunton)
Ham. Wilts —3A 10
Hambleden. Buck —1A 12
Hambledon. Hants —2D 31
Hambledon. Surr —3C 23
Hamble-le-Rice. Hants —3B 30
Hambridge. Som —1C 25
Hambrook. S Glo —2B 6
Hambrook. W Sus —3A 32
Ham Common. Dors —1D 27
Ham Green. N Som —2A 6
Hammer. W Sus —3B 22
Hammoon. Dors —2D 27
Hamp. Som —3C 15
Hampreston. Dors —1B 38
Hampstead Norreys. W Ber —2C 11
Hampton. Devn —1B 34
Hampton. G Lon —2D 13
Hampton. Swin —1C 9
Hamptworth. Wilts —2D 29
Hamstead. IOW —1A 40
Hamstead Marshall. W Ber —3B 10
Ham Street. Som —3A 16
Hamworthy. Pool —1A 38
Hand and Pen. Devn —1A 34
Handy Cross. Buck —1B 12
Hangersley Hill. Hants —3C 29
Hanging Langford. Wilts —3B 18
Hangleton. W Sus —3D 33
Hanham. S Glo —2B 6
Hanham Green. S Glo —2B 6
Hankerton. Wilts —1A 8
Hannington. Hants —1C 21
Hannington. Swin —1C 9
Hanworth. G Lon —2D 13
Harbridge. Hants —2C 29
Harcombe. Devn —1A 34
Harcombe Bottom. Devn —1C 35
Hardenhuish. Wilts —2A 8
Hardham. W Sus —2D 33
Hardington. Som —1C 17
Hardington Mandeville. Som —2A 26
Hardington Marsh. Som —3A 26
Hardington Moor. Som —2A 26
Hardley. Hants —3B 30
Hardway. Hants —3D 31
Hardway. Som —3C 17
Harefield. G Lon —1D 13
Hare Hatch. Wok —2B 12
Harlington. G Lon —2D 13
Harman's Cross. Dors —2A 38
Harmondsworth. G Lon —2D 13
Harpford. Devn —1A 34
Harpsden. Oxon —1A 12
Harry Stoke. S Glo —2B 6
Hartfordbridge. Hants —1A 22
Hartley Mauditt. Hants —3A 22
Hartley Wespall. Hants —1D 21
Hartley Wintney. Hants —1A 22
Hartswell. Som —1A 24
Harwell. Oxon —1B 10
Hascombe. Surr —3C 23
Haselbury Plucknett. Som —2D 25
Haslemere. Surr —3C 23
Haste Hill. Surr —3C 23
Hatch Beauchamp. Som —1C 25
Hatch End. G Lon —1D 13
Hatch Green. Som —2C 25
Hatch Warren. Hants —2D 21
Hatherden. Hants —1A 20
Hattingley. Hants —3D 21
Hatton. G Lon —2D 13
Havant. Hants —3A 32
Havenstreet. IOW —1C 41
Haven, The. W Sus —3D 23
Havyatt. Som —3A 16
Hawkchurch. Devn —3C 25
Hawkeridge. Wilts —1D 17
Hawkerland. Devn —2A 34
Hawkesbury. S Glo —1C 7
Hawkesbury Upton. S Glo —1C 7
Hawkley. Hants —1A 32
Hawley. Hants —1B 22
Hawthorn Hill. Brac —2B 12
Haybridge. Som —2A 16
Haydon. Bath —1B 16
Haydon. Dors —2B 26
Haydon. Som —1B 24
Haydon Wick. Swin —1C 9
Hayes. G Lon —1D 13
Haylands. IOW —1C 41
Hazelbury Bryan. Dors —3C 27
Hazeley. Hants —1A 22
Headbourne Worthy. Hants —3B 20
Headley. Hants —3B 22
(nr. Haslemere)
Headley. Hants —3C 11
(nr. Kingsclere)
Headley Down. Hants —3B 22
Headley Park. Bris —3A 6
Heath Common. W Sus —2D 33
Heath End. Hants —3C 11
Heathfield. Som —1A 24
Heath House. Som —2D 15
Heathrow (London) Airport. G Lon —2D 13
Heathstock. Devn —3B 24
Heckfield. Hants —3A 12
Heddington. Wilts —3A 8
Hedge End. Hants —2B 30
Hedgerley. Buck —1C 13
Hedging. Som —1C 25
Helland. Som —1C 25
Hemington. Som —1C 17
Hemsworth. Dors —3A 28
Hemyock. Devn —2A 24
Henbury. Bris —2A 6
Henfield. S Glo —2B 6
Henlade. Som —1B 24
Henley. Dors —3B 26
Henley. Som —3D 15
Henley. W Sus —1B 32
Henley-on-Thames. Oxon —1A 12
Hensting. Hants —1B 30
Henstridge. Som —2C 27
Henstridge Ash. Som —1C 27
Henstridge Bowden. Som —1B 26
Henstridge Marsh. Som —1C 27
Henton. Som —2D 15
Hermitage. Dors —3B 26
Hermitage. W Ber —2C 11
Hermitage. W Sus —3A 32
Herriard. Hants —2D 21
Hersham. Surr —3D 13
Herston. Dors —3B 38
Heston. G Lon —2D 13
Hewish. N Som —3C 5
Hewish. Som —3D 25
Heyshott. W Sus —2B 32
Heytesbury. Wilts —2A 18
Heywood. Wilts —1D 17
Highbridge. Som —2C 15
Highbury. Som —2B 16
Highclere. Hants —3B 10
Highcliffe. Dors —1D 39
High Cross. Hants —1A 32
Higher Alham. Som —2B 16
Higher Ansty. Dors —3C 27
Higher Bockhampton. Dors —1C 37
Higher Kingcombe. Dors —1A 36
Higher Tale. Devn —3A 24
Higher Whatcombe. Dors —3D 27
High Ham. Som —3D 15
Highleigh. W Sus —1B 42
High Littleton. Bath —1B 16
Highmoor. Oxon —1A 12
Highmoor Hill. Mon —1D 5
High Salvington. W Sus —3D 33
Highstreet Green. Surr —3C 23
Highworth. Swin —1D 9
High Wycombe. Buck —1B 12
Hilcott. Wilts —1C 19
Hilfield. Dors —3B 26
Hillbourne. Pool —1B 38
Hill Brow. Hants —1A 32
Hillbutts. Dors —3A 28
Hill Deverill. Wilts —2D 17
Hillesley. Glos —1C 7
Hillfarrance. Som —1A 24
Hillgreen. W Ber —2B 10
Hill Head. Hants —3C 31
Hillingdon. G Lon —1D 13
Hillside. Hants —1A 22
Hillstreet. Hants —2A 30
Hill Top. Hants —3B 30
Hill View. Dors —1A 38
Hilmarton. Wilts —2B 8
Hilperton. Wilts —1D 17
Hilperton Marsh. Wilts —3D 7
Hilsea. Port —3D 31
Hiltingbury. Hants —1B 30
Hilton. Dors —3C 27
Hindhead. Surr —3B 22

Hindon. *Wilts* —3A **18**
Hinton. *Hants* —1D **39**
Hinton. *S Glo* —2C **7**
Hinton Ampner. *Hants* —1C **31**
Hinton Blewett. *Bath* —1A **16**
Hinton Charterhouse. *Bath* —1C **17**
Hinton Martell. *Dors* —3B **28**
Hinton Parva. *Swin* —1D **9**
Hinton St George. *Som* —2D **25**
Hinton St Mary. *Dors* —2C **27**
Hipley. *Hants* —2D **31**
Hockworthy. *Devn* —2A **24**
Hodson. *Swin* —1C **9**
Hoe Gate. *Hants* —2D **31**
Hogstock. *Dors* —3A **28**
Holbury. *Hants* —3B **30**
Holcombe. *Som* —2B **16**
Holcombe Rogus. *Devn* —2A **24**
Holditch. *Dors* —3C **25**
Hole Street. *W Sus* —2D **33**
Holford. *Som* —2A **14**
Holmbury St Mary. *Surr* —2D **23**
Holmebridge. *Dors* —2D **37**
Holt. *Dors* —3B **28**
Holt. *Wilts* —3D **7**
Holt End. *Hants* —3D **21**
Holt Heath. *Dors* —3B **28**
Holton. *Som* —1B **26**
Holton Heath. *Dors* —1A **38**
Holt Pound. *Hants* —2B **22**
Holwell. *Dors* —2C **27**
Holwell. *Som* —2C **17**
Holworth. *Dors* —2C **37**
Holybourne. *Hants* —2A **22**
Holyport. *Wind* —2B **12**
Holywell. *Dors* —3A **26**
Holywell Lake. *Som* —1A **24**
Homington. *Wilts* —1C **29**
Honey Street. *Wilts* —3C **9**
Honiton. *Devn* —3A **24**
Hook. *Hants* —1A **22**
(nr. Basingstoke)
Hook. *Hants* —3C **31**
(nr. Fareham)
Hook. *Wilts* —1B **8**
Hooke. *Dors* —3A **26**
Hordle. *Hants* —1D **39**
Horfield. *Bris* —2B **6**
Hornblotton Green. *Som* —3A **16**
Horndean. *Hants* —2D **31**
Horningsham. *Wilts* —2D **17**
Horpit. *Swin* —1D **9**
Horringford. *IOW* —2C **41**
Horsebridge. *Hants* —3A **20**
Horsecastle. *N Som* —3D **5**
Horsell. *Surr* —1C **23**
Horsey. *Som* —3C **15**
Horsington. *Som* —1C **27**
Horton. *Dors* —3B **28**
Horton. *Som* —2C **25**
Horton. *S Glo* —1C **7**
Horton. *Wilts* —3B **8**
Horton. *Wind* —2D **13**
Horton Cross. *Som* —2C **25**
Horton Heath. *Hants* —2B **30**
Houghton. *Hants* —3A **20**
Houghton. *W Sus* —2D **33**
Hound. *Hants* —3B **30**
Hound Green. *Hants* —1A **22**
Houndsmoor. *Som* —1A **24**
Hounsdown. *Hants* —2A **30**
Hounslow. *G Lon* —2D **13**
Howleigh. *Som* —2B **24**
Howley. *Som* —3B **24**
Hoyle. *W Sus* —2C **33**
Huish. *Wilts* —3C **9**
Huish Champflower. *Som* —1A **24**
Huish Episcopi. *Som* —1D **25**
Hullavington. *Wilts* —1D **7**
Hulverstone. *IOW* —2A **40**
Hundred Acres. *Hants* —2C **31**
Hungerford. *Hants* —2C **29**
Hungerford. *Som* —2A **14**
Hungerford. *W Ber* —3A **10**
Hungerford Newtown. *W Ber* —2A **10**
Hunny Hill. *IOW* —2B **40**
Hunston. *W Sus* —3B **32**
Hunstrete. *Bath* —3B **6**
Huntham. *Som* —1C **25**
Huntingford. *Wilts* —3D **17**
Hunton. *Hants* —3B **20**
Huntspill. *Som* —2C **15**
Huntstile. *Som* —3B **14**
Huntstrete. *Bath* —3B **6**
Huntworth. *Som* —3C **15**
Hurcott. *Som* —2C **25**
(nr. Ilminster)
Hurcott. *Som* —1A **26**
(nr. Somerton)
Hurdcott. *Wilts* —3C **19**
Hurley. *Wind* —1B **12**
Hurn. *Dors* —1C **39**
Hursey. *Dors* —3D **25**
Hursley. *Hants* —1B **30**
Hurst. *Wok* —2A **12**
Hurstbourne Priors. *Hants* —2B **20**
Hurstbourne Tarrant. *Hants* —1A **20**
Hurtmore. *Surr* —2C **23**
Hutton. *N Som* —1C **15**
Huxham Green. *Som* —3A **16**
Hydestile. *Surr* —2C **23**
Hythe. *Hants* —3B **30**
Hythe End. *Wind* —2D **13**

I

Ibberton. *Dors* —3C **27**
Ibsley. *Hants* —3C **29**
Ibstone. *Buck* —1A **12**
Ibthorpe. *Hants* —1A **20**
Ibworth. *Hants* —1C **21**
Icelton. *N Som* —3C **5**
Ickenham. *G Lon* —1D **13**
Idmiston. *Wilts* —3C **19**
Idstone. *Oxon* —1D **9**
Ifold. *W Sus* —3D **23**
Ilchester. *Som* —1A **26**
Ilford. *Som* —2C **25**
Ilminster. *Som* —2C **25**
Ilsington. *Dors* —1C **37**
Ilton. *Som* —2C **25**
Imber. *Wilts* —2A **18**
Inglesbatch. *Bath* —3C **7**
Ingst. *S Glo* —1A **6**
Inkpen. *W Ber* —3A **10**
Iping. *W Sus* —1B **32**
Ipsden. *Oxon* —1D **11**
Iron Acton. *S Glo* —1B **6**
Isle Abbotts. *Som* —1C **25**
Isle Brewers. *Som* —1C **25**
Itchen. *Sotn* —2B **30**
Itchen Abbas. *Hants* —3C **21**
Itchen Stoke. *Hants* —3C **21**
Itchingfield. *W Sus* —1D **33**
Itchington. *S Glo* —1B **6**
Iver Heath. *Buck* —1D **13**
Iwerne Courteney. *Dors* —2D **27**
Iwerne Minster. *Dors* —2D **27**

J

Jacobswell. *Surr* —1C **23**
Jordans. *Buck* —1C **13**
Jumpers Common. *Dors* —1C **39**

K

Keevil. *Wilts* —1A **18**
Keinton Mandeville. *Som* —3A **16**
Kelston. *Bath* —3C **7**
Kempshott. *Hants* —1D **21**
Kendleshire. *S Glo* —2B **6**
Kenn. *N Som* —3D **5**
Kentisbeare. *Devn* —3A **24**
Kent's Oak. *Hants* —1A **30**
Kersbrook. *Devn* —2A **34**
Kerswell. *Devn* —3A **24**
Kewstoke. *N Som* —3C **5**
Keyford. *Som* —2C **17**
Keyhaven. *Hants* —1A **40**
Keynsham. *Bath* —3B **6**
Kidmore End. *Oxon* —2D **11**
Killinghurst. *Surr* —3C **23**
Kilmersdon. *Som* —1B **16**
Kilmeston. *Hants* —1C **31**
Kilmington. *Devn* —1B **34**
Kilmington. *Wilts* —3C **17**
Kiln Green. *Wind* —2B **12**
Kilton. *Som* —2A **14**
Kilve. *Som* —2A **14**
Kimmeridge. *Dors* —3A **38**
Kimpton. *Hants* —2D **19**
Kingsbury Episcopi. *Som* —1D **25**
Kingsclere. *Hants* —1C **21**
Kingsdon. *Som* —1A **26**
Kingsdown. *Swin* —1C **9**
Kingsdown. *Wilts* —3D **7**
Kingsley. *Hants* —3A **22**
Kingsley Green. *W Sus* —3B **22**
King's Somborne. *Hants* —3A **20**
King's Stag. *Dors* —2C **27**
Kingston. *Dors* —3C **27**
(nr. Sturminster Newton)
Kingston. *Dors* —3A **38**
(nr. Swanage)
Kingston. *Hants* —3C **29**
Kingston. *IOW* —2B **40**
Kingston. *W Sus* —3D **33**
Kingston Deverill. *Wilts* —3D **17**
Kingstone. *Som* —2C **25**
Kingston Lisle. *Oxon* —1A **10**
Kingston Russell. *Dors* —1A **36**
Kingston Seymour. *N Som* —3D **5**
Kingston St Mary. *Som* —1B **24**
Kingswood. *Glos* —1C **7**
Kingswood. *Som* —3A **14**
Kingswood. *S Glo* —2B **6**
Kings Worthy. *Hants* —3B **20**
Kington. *S Glo* —1B **6**
Kington Langley. *Wilts* —2A **8**
Kington Magna. *Dors* —1C **27**
Kington St Michael. *Wilts* —2A **8**
Kingweston. *Som* —3A **16**
Kinson. *Bour* —1B **38**
Kintbury. *W Ber* —3A **10**
Kirdford. *W Sus* —1D **33**
Kittisford. *Som* —1A **24**
Kitwood. *Hants* —3D **21**
Knap Corner. *Dors* —1D **27**
Knaphill. *Surr* —1C **23**
Knapp. *Hants* —1B **30**
Knapp. *Som* —1C **25**
Knightcott. *N Som* —1C **15**
Knighton. *Dors* —2B **26**
Knighton. *Som* —2A **14**
Knighton. *Wilts* —2D **9**
Knockdown. *Wilts* —1D **7**
Knole. *Som* —1D **25**
Knollbury. *Mon* —1D **5**
Knook. *Wilts* —2A **18**
Knotty Green. *Buck* —1C **13**
Knowle. *Bris* —2B **6**
Knowle. *Devn* —2A **34**
Knowle St Giles. *Som* —2C **25**
Knowl Hill. *Wind* —2B **12**
Kyrle. *Som* —1A **24**

L

Lacock. *Wilts* —3A **8**
Lagness. *W Sus* —3B **32**
Lake. *IOW* —2C **41**
Lake. *Wilts* —3C **19**
Laleham. *Surr* —3D **13**
Lambourn. *W Ber* —2A **10**
Lambourn Woodlands. *W Ber* —2A **10**
Lambrook. *Som* —1B **24**
Lambs Green. *Dors* —1A **38**
Lamyatt. *Som* —3B **16**
Landford. *Wilts* —2D **29**
Landport. *Port* —3D **31**
Lane End. *Buck* —1B **12**
Lane End. *Hants* —1C **31**
Lane End. *IOW* —2D **41**
Lane End. *Wilts* —2D **17**
Langdown. *Hants* —3B **30**
Langford Budville. *Som* —1A **24**
Langham. *Dors* —1C **27**
Langley. *Hants* —3B **30**
Langley. *Som* —1A **24**
Langley. *W Sus* —1B **32**
Langley. *Wind* —2D **13**
Langley Burrell. *Wilts* —2A **8**
Langley Marsh. *Som* —1A **24**
Langport. *Som* —1D **25**
Langridge. *Bath* —3C **7**
Langrish. *Hants* —1A **32**
Langstone. *Hants* —3A **32**
Langton Herring. *Dors* —2B **36**
Langton Long Blandford. *Dors* —3A **28**
Langton Matravers. *Dors* —3B **38**
Lansdown. *Bath* —3C **7**
Larkhall. *Bath* —3C **7**
Larkhill. *Wilts* —2C **19**
Lasham. *Hants* —2D **21**
Latchmere Green. *Hants* —3D **11**
Latteridge. *S Glo* —1B **6**
Lattiford. *Som* —1B **26**
Launcherley. *Som* —2A **16**
Laverstock. *Wilts* —3C **19**
Laverstoke. *Hants* —2B **20**
Laverton. *Som* —1C **17**
Layland's Green. *W Ber* —3A **10**
Laymore. *Dors* —3C **25**
Layter's Green. *Buck* —1C **13**
Lea. *Wilts* —1A **8**
Leatherhead. *Surr* —1D **23**
Leckford. *Hants* —3A **20**
Leckhampstead. *W Ber* —2B **10**
Leckhampstead Street. *W Ber* —2B **10**
Leckwith. *V Glam* —2A **4**
Lee. *Hants* —2A **30**
Leechpool. *Mon* —1A **6**
Lee-on-the-Solent. *Hants* —3C **31**
Leigh. *Dors* —3B **26**
Leigh. *Wilts* —1B **8**
Leigh Common. *Som* —3C **17**
Leigh Delamere. *Wilts* —2D **7**
Leigh Park. *Hants* —3A **32**
Leighterton. *Glos* —1D **7**
Leighton. *Som* —2C **17**
Leigh-upon-Mendip. *Som* —2B **16**
Lepe. *Hants* —1B **40**
Letcombe Bassett. *Oxon* —1A **10**
Letcombe Regis. *Oxon* —1A **10**
Leverton. *W Ber* —2A **10**
Lickfold. *W Sus* —1C **33**
Liddington. *Swin* —1D **9**
Lidsey. *W Sus* —3C **33**
Lightwater. *Surr* —3C **13**
Lillesdon. *Som* —1C **25**
Lillington. *Dors* —2B **26**
Lilstock. *Som* —2A **14**
Limington. *Som* —1A **26**
Limpley Stoke. *Wilts* —3C **7**
Linchmere. *W Sus* —3B **22**
Lindford. *Hants* —3B **22**
Linford. *Hants* —3C **29**
Linkenholt. *Hants* —1A **20**
Linwood. *Hants* —3C **29**
Liphook. *Hants* —3B **22**
Lipyeate. *Som* —1B **16**
Lisle Court. *Hants* —1A **40**
Liss. *Hants* —1A **32**
Liss Forest. *Hants* —1A **32**
Lisvane. *Card* —1A **4**
Liswerry. *Newp* —1C **5**
Litchfield. *Hants* —1B **20**
Little Badminton. *S Glo* —1D **7**
Little Bedwyn. *Wilts* —3D **9**
Little Bognor. *W Sus* —1D **33**
Little Bookham. *Surr* —1D **23**
Littlebredy. *Dors* —2A **36**
Little Canford. *Dors* —1B **38**
Little Cheverell. *Wilts* —1A **18**
Littlecott. *Wilts* —1C **19**
Little Coxwell. *Oxon* —1D **9**
Little Down. *Hants* —1A **20**
Little Elm. *Som* —2C **17**
Littlehampton. *W Sus* —3D **33**
Little Langford. *Wilts* —3B **18**
Little London. *Hants* —2A **20**
(nr. Andover)
Little London. *Hants* —1D **21**
(nr. Basingstoke)
Little Marlow. *Buck* —1B **12**
Littlemoor. *Dors* —2B **36**
Little Posbrook. *Hants* —3C **31**
Little Sandhurst. *Brac* —3B **12**
Little Shoddesden. *Hants* —2D **19**
Little Sodbury. *S Glo* —1C **7**
Little Somborne. *Hants* —3A **20**
Little Somerford. *Wilts* —1A **8**
Littleton. *G Lon* —3D **13**
Littleton. *Hants* —3B **20**
Littleton. *Som* —3D **15**
Littleton. *Surr* —2C **23**
Littleton Drew. *Wilts* —1D **7**
Littleton Pannell. *Wilts* —1A **18**
Littleton-upon-Severn. *S Glo* —1A **6**
Littlewick Green. *Wind* —2B **12**
Littlewindsor. *Dors* —3D **25**
Little Wittenham. *Oxon* —1C **11**
Litton. *Som* —1A **16**
Litton Cheney. *Dors* —1A **36**
Llanbeder. *Newp* —1C **5**
Llanbethery. *V Glam* —3A **4**
Llanbradach. *Cphy* —1A **4**
Llanbydderi. *V Glam* —3A **4**
Llancadle. *V Glam* —3A **4**
Llancarfan. *V Glam* —3A **4**
Llancatal. *V Glam* —3A **4**
Llandaff. *Card* —2A **4**
Llandevaud. *Newp* —1D **5**
Llandevenny. *Newp* —1D **5**
Llandough. *V Glam* —2A **4**

Llanedeyrn. Card —1B 4
Llanfihangel Rogiet. Mon —1D 5
Llanfrechfa. Torf —1C 5
Llanhennock. Mon —1C 5
Llanishen. Card —1A 4
Llanmartin. Newp —1C 5
Llanrumney. Card —1B 4
Llantarnam. Torf —1B 4
Llantrisant. Rhon —1A 4
Llantrithyd. V Glam —2A 4
Llantwit Fardre. Rhon —1A 4
Llanvaches. Newp —1D 5
Llanvair Discoed. Mon —1D 5
Llanwern. Newp —1C 5
Lockeridge. Wilts —3C 9
Lockerley. Hants —1D 29
Locking. N Som —1C 15
Locksgreen. IOW —1B 40
Locks Heath. Hants —3C 31
Loders. Dors —1D 35
Lodsworth. W Sus —1C 33
London Heathrow Airport. G Lon —2D 13
Long Ashton. N Som —2A 6
Long Bredy. Dors —1A 36
Longbridge Deverill. Wilts —2D 17
Longburton. Dors —2B 26
Long Common. Hants —2C 31
Longcot. Oxon —1D 9
Long Crichel. Dors —2A 28
Longcross. Surr —3C 13
Longford. G Lon —2D 13
Longham. Dors —1B 38
Longhedge. Wilts —2D 17
Longlane. W Ber —2B 10
Long Load. Som —1D 25
Longmoor Camp. Hants —3A 22
Long Newnton. Glos —1A 8
Longparish. Hants —2B 20
Longstock. Hants —3A 20
Longstreet. Wilts —1C 19
Long Sutton. Hants —2A 22
Long Sutton. Som —1D 25
Long Wittenham. Oxon —1C 11
Lopcombe Corner. Wilts —3D 19
Lopen. Som —2D 25
Lordington. W Sus —3A 32
Loscombe. Dors —1A 36
Lottisham. Som —3A 16
Loudwater. Buck —1C 13
Lovedean. Hants —2D 31
Lover. Wilts —1D 29
Lovington. Som —3A 16
Lower Ansty. Dors —3C 27
Lower Assendon. Oxon —1A 12
Lower Basildon. W Ber —2D 11
Lower Bordean. Hants —1D 31
Lower Bullington. Hants —2B 20
Lower Burgate. Hants —2C 29
Lower Chicksgrove. Wilts —3A 18
Lower Chute. Wilts —1A 20
Lower Common. Hants —2D 21
Lower Everleigh. Wilts —1C 19
Lower Failand. N Som —2A 6
Lower Farringdon. Hants —3A 22
Lower Froyle. Hants —2A 22
Lower Godney. Som —2D 15
Lower Green. W Ber —3A 10
Lower Horncroft. W Sus —2D 33
Lower Kilcott. Glos —1C 7
Lower Kingcombe. Dors —1A 36
Lower Langford. N Som —3D 5
Lower Machen. Newp —1B 4
Lower Morton. S Glo —1B 6
Lower Nyland. Dors —1C 27
Lower Penarth. V Glam —3A 4
Lower Pennington. Hants —1A 40
Lower Seagry. Wilts —1A 8
Lower Shiplake. Oxon —2A 12
Lower Stanton St Quintin. Wilts —1A 8
Lower Swanwick. Hants —3B 30
Lower Tale. Devn —3A 24
Lower Upham. Hants —2C 31
Lower Vexford. Som —3A 14
Lower Weare. Som —1D 15
Lower Whatcombe. Dors —3D 27
Lower Wield. Hants —2D 21
Lower Woodend. Buck —1B 12
Lower Woodford. Wilts —3C 19
Lowford. Hants —2B 30
Low Ham. Som —1D 25
Lowton. Som —2A 24
Loxhill. Surr —3D 23
Loxton. N Som —1C 15
Loxwood. W Sus —3D 23
Luccombe Village. IOW —3C 41
Luckington. Wilts —1D 7
Ludgershall. Wilts —1D 19
Ludwell. Wilts —1A 28
Lullington. Som —1C 17
Lulsgate Bottom. N Som —3A 6
Lulworth Camp. Dors —2D 37
Luppitt. Devn —3A 24
Lurgashall. W Sus —1C 33
Luton. Devn —3A 24
Lydeard St Lawrence. Som —3A 14
Lyde Green. Hants —1A 22
Lydford Fair Place. Som —3A 16
Lydiard Millicent. Wilts —1B 8
Lydlinch. Dors —2C 27
Lyme Regis. Dors —1C 35
Lymington. Hants —1A 40
Lyminster. W Sus —3D 33
Lymore. Hants —1D 39
Lympsham. Som —1C 15
Lyndhurst. Hants —3A 30
Lyne. Surr —3D 13
Lyneham. Wilts —2B 8
Lyng. Som —1C 25
Lyon's Gate. Dors —3B 26
Lytchett Matravers. Dors —1A 38
Lytchett Minster. Dors —1A 38

M

Machen. Cphy —1B 4
Maddington. Wilts —2B 18
Madehurst. W Sus —2C 33
Madford. Devn —2A 24
Magor. Mon —1D 5
Magwyr. Mon —1D 5
Maiden Bradley. Wilts —3D 17
Maidenhayne. Devn —1B 34
Maidenhead. Wind —1B 12
Maiden Newton. Dors —1A 36
Maiden's Green. Brac —2B 12
Maidensgrove. Oxon —1A 12
Maindee. Newp —1C 5
Malmesbury. Wilts —1A 8
Malpas. Newp —1B 4
Mangotsfield. S Glo —2B 6
Manningford Bohune. Wilts —1C 19
Manningford Bruce. Wilts —1C 19
Mannington. Dors —3B 28
Manston. Dors —2D 27
Manswood. Dors —3A 28
Manton. Wilts —3C 9
Maperton. Som —1B 26
Maple Cross. Herts —1D 13
Mapledurham. Oxon —2D 11
Mapledurwell. Hants —1D 21
Mapperton. Dors —1A 36
(nr. Beaminster)
Mapperton. Dors —1A 38
(nr. Poole)
Mappowder. Dors —3C 27
Marchwood. Hants —2A 30
Marden. Wilts —1B 18
Marehill. W Sus —2D 33
Margaret Marsh. Dors —2D 27
Mark. Som —2C 15
Mark Causeway. Som —2C 15
Market Lavington. Wilts —1B 18
Marksbury. Bath —3B 6
Mark's Corner. IOW —1B 40
Marlborough. Wilts —3C 9
Marlow. Buck —1B 12
Marlow Bottom. Buck —1B 12
Marnhull. Dors —2C 27
Marsh. Devn —2B 24
Marshalsea. Dors —3C 25
Marsh Benham. W Ber —3B 10
Marshfield. Newp —1B 4
Marshfield. S Glo —2C 7
Marsh Green. Devn —1A 34
Marshwood. Dors —1C 35
Marston. Wilts —1A 18
Marston Magna. Som —1A 26
Marten. Wilts —3D 9
Martin. Hants —2B 28
Martin Drove End. Hants —1B 28
Martinstown. Dors —2B 36
Martock. Som —2D 25
Martyr's Green. Surr —1D 23
Martyr Worthy. Hants —3C 21
Mathern. Mon —1A 6
Mattingley. Hants —1A 22
Maybush. Sotn —2A 30
Mayes Green. Surr —3D 23
Mayford. Surr —1C 23
Mayshill. S Glo —1B 6
Meadgate. Bath —1B 16
Meare. Som —2D 15
Meare Green. Som —1B 24
(nr. Curry Mallet)
Meare Green. Som —1C 25
(nr. Stoke St Gregory)
Medmenham. Buck —1B 12
Medstead. Hants —3D 21
Melbury Abbas. Dors —1D 27
Melbury Bubb. Dors —3A 26
Melbury Osmond. Dors —3A 26
Melbury Sampford. Dors —3A 26
Melcombe Bingham. Dors —3C 27
Melcombe Regis. Dors —2B 36
Melksham. Wilts —3A 8
Mells. Som —2C 17
Melplash. Dors —1D 35
Membury. Devn —3B 24
Meon. Hants —3C 31
Meonstoke. Hants —2D 31
Mere. Wilts —3D 17
Merley. Pool —1B 38
Merridge. Som —3B 14
Merriott. Som —2D 25
Merrow. Surr —1D 23
Merston. W Sus —3B 32
Merstone. IOW —2C 41
Merthyr Dyfan. V Glam —3A 4
Metcombe. Devn —1A 34
Michaelston-le-Pit. V Glam —2A 4
Michaelston-y-Vedw. Newp —1B 4
Micheldever. Hants —3C 21
Micheldever Station. Hants —2C 21
Michelmersh. Hants —1A 30
Middle Assendon. Oxon —1A 12
Middle Chinnock. Som —2D 25
Middlemarsh. Dors —3B 26
Middle Stoughton. Som —2D 15
Middleton. Hants —2B 20
Middleton. IOW —2A 40
Middleton-on-Sea. W Sus —3C 33
Middle Wallop. Hants —3D 19
Middle Winterslow. Wilts —3D 19
Middle Woodford. Wilts —3C 19
Middlezoy. Som —3C 15
Midford. Bath —3C 7
Midgham. W Ber —3C 11
Midhurst. W Sus —1B 32
Mid Lambrook. Som —2D 25
Mid Lavant. W Sus —3B 32
Midney. Som —1A 26
Midsomer Norton. Bath —1B 16
Milborne Port. Som —2B 26
Milborne St Andrew. Dors —1D 37
Milborne Wick. Som —1B 26
Milbourne. Wilts —1A 8
Milbury Heath. S Glo —1B 6
Mildenhall. Wilts —3D 9
Milford. Surr —2C 23
Milford on Sea. Hants —1D 39
Milkwell. Wilts —1A 28
Milland. W Sus —1B 32
Millbridge. Surr —2B 22
Millbrook. Sotn —2A 30
Mill End. Buck —1A 12
Millhayes. Devn —3B 24
(nr. Honiton)
Millhayes. Devn —2A 24
(nr. Wellington)
Mill Lane. Hants —1A 22
Milston. Wilts —2C 19
Milton. N Som —3C 5
Milton. Oxon —1B 10
Milton. Port —1D 41
Milton. Som —1D 25
Milton Abbas. Dors —3D 27
Milton Clevedon. Som —3B 16
Milton Hill. Oxon —1B 10
Milton Lilbourne. Wilts —3C 9
Milton on Stour. Dors —1C 27
Milverton. Som —1A 24
Mimbridge. Surr —3C 13
Minchington. Dors —2A 28
Minety. Wilts —1B 8
Minstead. Hants —2D 29
Minsted. W Sus —1B 32
Minterne Magna. Dors —3B 26
Minterne Parva. Dors —3B 26
Miskin. Rhon —1A 4
Misterton. Som —3D 25
Mockbeggar. Hants —3C 29
Moneyrow Green. Wind —2B 12
Monk Sherborne. Hants —1D 21
Monksilver. Som —3A 14
Monkton. Devn —3A 24
Monkton Combe. Bath —3C 7
Monkton Deverill. Wilts —3D 17
Monkton Farleigh. Wilts —3D 7
Monkton Heathfield. Som —1B 24
Monkton Up Wimborne. Dors —2B 28
Monkton Wyld. Dors —1C 35
Monkwood. Hants —3D 21
Montacute. Som —2D 25
Monxton. Hants —2A 20
Moorbath. Dors —1D 35
Moor Crichel. Dors —3A 28
Moordown. Bour —1B 38
Moorgreen. Hants —2B 30
Moor Green. Wilts —3D 7
Moorland. Som —3C 15
Moorlinch. Som —3C 15
Moorside. Dors —2C 27
Moortown. Hants —3C 29
Moortown. IOW —2B 40
Morcombelake. Dors —1D 35
Morestead. Hants —1C 31
Moreton. Dors —2D 37
Morganstown. Card —1A 4
Morgan's Vale. Wilts —1C 29
Mortimer Common. W Ber —3D 11
Mortimer West End. Hants —3D 11
Morton. S Glo —1B 6
Mosterton. Dors —3D 25
Motcombe. Dors —1D 27
Mottisfont. Hants —1A 30
Mottistone. IOW —2B 40
Moulsford. Oxon —1C 11
Moulton. V Glam —2A 4
Mounton. Mon —1A 6
Mount Pleasant. Hants —1D 39
Muchelney. Som —1D 25
Muchelney Ham. Som —1D 25
Muckleford. Dors —1B 36
Mudeford. Dors —1C 39
Mudford. Som —2A 26
Mudgley. Som —2D 15
Murrell Green. Hants —1A 22
Musbury. Devn —1B 34
Mytchett. Surr —1B 22

N

Nailsbourne. Som —1B 24
Nailsea. N Som —2D 5
Nantgarw. Rhon —1A 4
Nash. Newp —1C 5
Nately Scures. Hants —1A 22
Neacroft. Hants —1C 39
Nempnett Thrubwell. Bath —3A 6
Neston. Wilts —3D 7
Netheravon. Wilts —2C 19
Netherbury. Dors —1D 35
Nether Cerne. Dors —1B 36
Nether Compton. Dors —2A 26
Netherhampton. Wilts —3C 19
Nether Stowey. Som —3A 14
Netherstreet. Wilts —3A 8
Netherton. Hants —1A 20
Nether Wallop. Hants —3A 20
Netley. Hants —3B 30
Netley Marsh. Hants —2A 30
Nettlebed. Oxon —1A 12
Nettlebridge. Som —2B 16
Nettlecombe. Dors —1A 36
Nettlecombe. IOW —3C 41
Nettlestone. IOW —1D 41
Nettleton. Wilts —2D 7
Netton. Wilts —3C 19
New Alresford. Hants —3C 21
Newbridge. Hants —2D 29
Newbridge. IOW —2B 40
New Brighton. Hants —3A 32
Newbury. W Ber —3B 10
Newbury. Wilts —2D 17
New Cheriton. Hants —1C 31
Newchurch. IOW —2C 41
Newcott. Devn —3B 24
New Denham. Buck —1D 13
Newell Green. Brac —2B 12
Newfound. Hants —1C 21
New Haw. Surr —3D 13
New Mill. Wilts —3C 9
New Milton. Hants —1D 39
Newnham. Hants —1A 22
Newport. IOW —2C 41
Newport. Newp —1C 5
Newport. Som —1C 25

Newpound Common. W Sus —1D 33
New Swanage. Dors —2B 38
Newton. Som —3A 14
Newton. Wilts —1D 29
Newton Green. Mon —1A 6
Newton Poppleford. Devn —2A 34
Newton Stacey. Hants —2B 20
Newton St Loe. Bath —3C 7
Newton Toney. Wilts —2D 19
Newton Valence. Hants —3A 22
Newtown. Dors —3D 25
(nr. Beaminster)
New Town. Dors —2A 28
(nr. Sixpenny Handley)
Newtown. Hants —2C 31
(nr. Bishop's Waltham)
Newtown. Hants —2D 29
(nr. Lyndhurst)
Newtown. Hants —3B 10
(nr. Newbury)
Newtown. Hants —1A 30
(nr. Romsey)
Newtown. Hants —3B 30
(nr. Warsash)
Newtown. Hants —2D 31
(nr. Wickham)
Newtown. IOW —1B 40
Newtown. Pool —1B 38
Newtown. Som —2B 24
Newtown. Wilts —1A 28
Newyears Green. G Lon —1D 13
Nicholashayne. Devn —2A 24
Nine Elms. Swin —1C 9
Ningwood. IOW —2B 40
Niton. IOW —3C 41
Nomansland. Wilts —2D 29
Norleywood. Hants —1A 40
Normandy. Surr —1C 23
Norman's Green. Devn —3A 24
Norrington Common. Wilts —3D 7
Northam. Sotn —2B 30
North Ascot. Brac —3C 13
Northay. Som —2B 24
North Baddesley. Hants —1A 30
North Barrow. Som —1B 26
North Bersted. W Sus —3C 33
North Boarhunt. Hants —2D 31
North Bockhampton. Dors —1C 39
Northbourne. Oxon —1C 11
North Bradley. Wilts —1D 17
North Brewham. Som —3C 17
North Cadbury. Som —1B 26
Northchapel. W Sus —1C 33
North Charford. Hants —2C 29
North Cheriton. Som —1B 26
North Chideock. Dors —1D 35
North Coker. Som —2A 26
North Curry. Som —1C 25
North End. Hants —3B 10
North End. N Som —3D 5
Northend. Oxon —1A 12
North End. Port —3D 31
North End. W Sus —3D 33
Northfield. Som —3B 14
North Gorley. Hants —2C 29
North Hayling. Hants —3A 32
North Heath. W Sus —1D 33
Northington. Hants —3C 21
Northleigh. Devn —1A 34
North Marden. W Sus —2B 32
Northmoor Green. Som —3C 15
North Moreton. Oxon —1C 11
North Mundham. W Sus —3B 32
North Newnton. Wilts —1C 19
North Newton. Som —3B 14
Northney. Hants —3A 32
North Oakley. Hants —1C 21
Northolt. G Lon —1D 13
Northover. Som —3D 15
(nr. Glastonbury)
Northover. Som —1A 26
(nr. Yeovil)
North Perrott. Som —3D 25
North Petherton. Som —3B 14
North Poorton. Dors —1A 36
Northport. Dors —2A 38
North Stoke. Bath —3C 7
North Stoke. Oxon —1D 11
North Stoke. W Sus —2D 33
North Street. Hants —3D 21
North Street. W Ber —2D 11
North Waltham. Hants —2C 21
North Warnborough. Hants —1A 22
North Weston. N Som —2D 5
North Wick. Bath —3A 6
Northwick. Som —2C 15
Northwick. S Glo —1A 6
North Widcombe. Bath —1A 16
Northwood. G Lon —1D 13
Northwood. IOW —1B 40
North Wootton. Dors —2B 26
North Wootton. Som —2A 16
North Wraxall. Wilts —2D 7
North Wroughton. Swin —1C 9
Norton. IOW —2A 40
Norton. W Sus —3C 33
(nr. Arundel)
Norton. W Sus —1B 42
(nr. Selsey)
Norton. Wilts —1D 7
Norton Bavant. Wilts —2A 18
Norton Ferris. Wilts —3C 17
Norton Fitzwarren. Som —1B 24
Norton Green. IOW —2A 40
Norton Hawkfield. Bath —3A 6
Norton Malreward. Bath —3B 6
Norton St Philip. Som —1C 17
Norton sub Hamdon. Som —2D 25
Norwood Park. Som —3A 16
Nottington. Dors —2B 36
Notton. Wilts —3A 8
Nuffield. Oxon —1D 11
Nunney. Som —2C 17
Nunton. Wilts —1C 29
Nursling. Hants —2A 30
Nursted. Hants —1A 32
Nursteed. Wilts —3B 8
Nurston. V Glam —3A 4
Nutbourne. W Sus —3A 32
(nr. Chichester)
Nutbourne. W Sus —2D 33
(nr. Pulborough)
Nyetimber. W Sus —1B 42
Nyewood. W Sus —1B 32
Nynehead. Som —1A 24
Nyton. W Sus —3C 33

O

Oakdale. Pool —1B 38
Oake. Som —1A 24
Oakhanger. Hants —3A 22
Oakhill. Som —2B 16
Oakley. Hants —1C 21
Oakley Green. Wind —2C 13
Oaksey. Wilts —1A 8
Oakshott. Hants —1A 32
Oakwoodhill. Surr —3D 23
Oare. W Ber —2C 11
Oare. Wilts —3C 9
Oath. Som —1C 25
Oborne. Dors —2B 26
Ockham. Surr —1D 23
Ockley. Surr —2D 23
Odcombe. Som —2A 26
Odd Down. Bath —3C 7
Odiham. Hants —1A 22
Odstock. Wilts —1C 29
Offham. W Sus —3D 33
Offwell. Devn —1A 34
Ogbourne Maizey. Wilts —2C 9
Ogbourne St Andrew. Wilts —2C 9
Ogbourne St George. Wilts —2D 9
Okeford Fitzpaine. Dors —2D 27
Okus. Swin —1C 9
Old Alresford. Hants —3C 21
Old Basing. Hants —1D 21
Old Burghclere. Hants —1B 20
Oldbury-on-Severn. S Glo —1B 6
Oldbury on the Hill. Glos —1D 7
Old Cleeve. Som —2A 14
Old Dilton. Wilts —2D 17
Old Down. S Glo —1B 6
Oldford. Som —1C 17
Oldland. S Glo —2B 6
Oldmixon. N Som —1C 15
Old Sodbury. S Glo —1C 7
Old Windsor. Wind —2C 13
Old Woking. Surr —1D 23
Oliver's Battery. Hants —1B 30
Olveston. S Glo —1B 6
Onslow Village. Surr —2C 23
Orchard Portman. Som —1B 24
Orcheston. Wilts —2B 18
Organford. Dors —1A 38
Osmington. Dors —2C 37
Osmington Mills. Dors —2C 37
Osterley. G Lon —2D 13
Othery. Som —3C 15
Otterbourne. Hants —1B 30
Otterford. Som —2B 24
Otterhampton. Som —2B 14
Ottershaw. Surr —3D 13
Otterton. Devn —2A 34
Otterwood. Hants —3B 30
Ottery St Mary. Devn —1A 34
Outwick. Hants —2C 29
Over. S Glo —1A 6
Overcombe. Dors —2B 36
Over Compton. Dors —2A 26
Overleigh. Som —3D 15
Over Stowey. Som —3A 14
Over Stratton. Som —2D 25
Over Street. Wilts —3B 18
Overton. Hants —2C 21
Overtown. Swin —2C 9
Over Wallop. Hants —3D 19
Oving. W Sus —3C 33
Ovington. Hants —3C 21
Ower. Hants —3B 30
(nr. Holbury)
Ower. Hants —2A 30
(nr. Totton)
Owermoigne. Dors —2C 37
Ownham. W Ber —2B 10
Owslebury. Hants —1C 31
Oxenpill. Som —2D 15
Oxenwood. Wilts —1A 20
Oxshott. Surr —3D 13
Ozleworth. Glos —1C 7

P

Pachesham. Surr —1D 23
Packers Hill. Dors —2C 27
Padworth. W Ber —3D 11
Pagham. W Sus —1B 42
Palestine. Hants —2D 19
Paley Street. Wind —2B 12
Pallington. Dors —1C 37
Palmerstown. V Glam —3A 4
Pamber End. Hants —1D 21
Pamber Green. Hants —1D 21
Pamber Heath. Hants —3D 11
Pamphill. Dors —3A 28
Panborough. Som —2D 15
Pangbourne. W Ber —2D 11
Parbrook. Som —3A 16
Parbrook. W Sus —1D 33
Parc-Seymour. Newp —1D 5
Pardown. Hants —2C 21
Park Corner. Oxon —1D 11
Park Gate. Hants —3C 31
Parkhurst. IOW —1B 40
Parkstone. Pool —1B 38
Park Street. W Sus —3D 23
Parley Cross. Dors —1B 38
Parmoor. Buck —1A 12
Passfield. Hants —3B 22
Patching. W Sus —3D 33
Patchway. S Glo —1B 6
Pathe. Som —3C 15
Patney. Wilts —1B 18
Paulton. Bath —1B 16
Pawlett. Som —2C 15
Payhembury. Devn —3A 24
Peasedown St John. Bath —1C 17
Peasemore. W Ber —2B 10
Peaslake. Surr —2D 23
Peasmarsh. Surr —2C 23
Pedwell. Som —3D 15
Peel Common. Hants —3C 31
Penarth. V Glam —2A 4
Pendomer. Som —2A 26
Pendoylan. V Glam —2A 4
Pengam. Card —2B 4
Penhill. Swin —1C 9
Penhow. Newp —1D 5
Penmark. V Glam —3A 4
Penn. Buck —1C 13
Penn. Dors —1C 35
Pennington. Hants —1A 40
Pennsylvania. S Glo —2C 7
Penselwood. Som —3C 17
Pensford. Bath —3B 6
Penton Mewsey. Hants —2A 20
Pentre-poeth. Newp —1B 4
Pentridge. Dors —2B 28
Pentwyn. Card —1B 4
Pentyrch. Card —1A 4
Pen-y-coedcae. Rhon —1A 4
Penyrheol. Cphy —1A 4
Peper Harow. Surr —2C 23
Perham Down. Wilts —2D 19
Perry Green. Wilts —1A 8
Perry Street. Som —3C 25
Pertwood. Wilts —3D 17
Petersfield. Hants —1A 32
Petersfinger. Wilts —1C 29
Peterstone Wentlooge. Newp —1B 4
Peterston-super-Ely. V Glam —2A 4
Petworth. W Sus —1C 33
Pewsey. Wilts —3C 9
Pheasants Hill. Buck —1A 12
Phoenix Green. Hants —1A 22
Pibsbury. Som —1D 25
Picket Piece. Hants —2A 20
Picket Post. Hants —3C 29
Piddlehinton. Dors —1C 37
Piddletrenthide. Dors —3C 27
Pidney. Dors —3C 27
Pightley. Som —3B 14
Pikeshill. Hants —3D 29
Pilford. Dors —3B 28
Pill. N Som —2A 6
Pilley. Hants —1A 40
Pillgwenlly. Newp —1C 5
Pill, The. Mon —1D 5
Pillwell. Dors —2C 27
Pilning. S Glo —1A 6
Pilsdon. Dors —1D 35
Pilton. Som —2A 16
Pimperne. Dors —3A 28
Pinkneys Green. Wind —1B 12
Pinner. G Lon —1D 13
Pirbright. Surr —1C 23
Pishill. Oxon —1A 12
Pitch Place. Surr —1C 23
Pitcombe. Som —3B 16
Pitminster. Som —2B 24
Pitney. Som —1D 25
Pitsford Hill. Som —3A 14
Pitt. Hants —1B 30
Pitton. Wilts —3D 19
Plainsfield. Som —3A 14
Plaistow. W Sus —3D 23
Plaitford. Hants —2D 29
Plastow Green. Hants —3C 11
Play Hatch. Oxon —2A 12
Plush. Dors —3C 27
Plymtree. Devn —3A 24
Podimore. Som —1A 26
Pokesdown. Bour —1C 39
Poling. W Sus —3D 33
Poling Corner. W Sus —3D 33
Polsham. Som —2A 16
Pondtail. Hants —1B 22
Ponthir. Torf —1C 5
Pontypridd. Rhon —1A 4
Pontywaun. Cphy —1B 4
Pooksgreen. Hants —2A 30
Poole. Pool —1B 38
Popeswood. Brac —3B 12
Popham. Hants —2C 21
Popley. Hants —1D 21
Porchfield. IOW —1B 40
Portbury. N Som —2A 6
Portchester. Hants —3D 31
Portesham. Dors —2B 36
Porth. Rhon —1A 4
Porthkerry. V Glam —3A 4
Portishead. N Som —2D 5
Portmore. Hants —1A 40
Porton. Wilts —3C 19
Portsea. Port —3D 31
Portskewett. Mon —1A 6
Portsmouth. Port —1D 41
Port Solent. Hants —3D 31
Portswood. Sotn —2B 30
Post Green. Dors —1A 38
Potterne. Wilts —1A 18
Potterne Wick. Wilts —1A 18
Pottle Street. Wilts —2D 17
Poulner. Hants —3C 29
Poulshot. Wilts —1A 18
Poundbury. Dors —1B 36
Pound Street. Hants —3B 10
Powerstock. Dors —1A 36
Poxwell. Dors —2C 37
Poyle. Buck —2D 13
Poyntington. Dors —1B 26
Prescott. Devn —2A 24
Preshute. Wilts —3C 9
Prestleigh. Som —2B 16
Preston. Dors —2C 37
Preston. Wilts —2D 9
(nr. Aldbourne)

Preston. Wilts —2B 8
(nr. Lyneham)
Preston Bowyer. Som —1A 24
Preston Candover. Hants —2D 21
Preston Plucknett. Som —2A 26
Priddy. Som —1A 16
Priestwood. Brac —3B 12
Prinsted. W Sus —3A 32
Priory, The. W Ber —3A 10
Priston. Bath —3B 6
Privett. Hants —1D 31
Publow. Bath —3B 6
Puckington. Som —2C 25
Pucklechurch. S Glo —2B 6
Puddletown. Dors —1C 37
Pulborough. W Sus —2D 33
Pulham. Dors —3C 27
Puncknowle. Dors —2A 36
Purbrook. Hants —3D 31
Puriton. Som —2C 15
Purley on Thames. W Ber —2D 11
Purse Caundle. Dors —2B 26
Purtington. Som —3C 25
Purton. Wilts —1B 8
Purton Stoke. Wilts —1B 8
Puttenham. Surr —2C 23
Puxton. N Som —3D 5
Pwllmeyric. Mon —1A 6
Pye Corner. Newp —1C 5
Pyle. IOW —3B 40
Pylle. Som —3B 16
Pymore. Dors —1D 35
Pyrford. Surr —1D 23

Q

Quarley. Hants —2D 19
Queen Camel. Som —1A 26
Queen Charlton. Bath —3B 6
Queen Oak. Dors —3C 17
Quemerford. Wilts —3B 8
Quick's Green. W Ber —2C 11
Quidhampton. Hants —1C 21
Quidhampton. Wilts —3C 19

R

Rackham. W Sus —2D 33
Radford. Bath —1B 16
Radipole. Dors —2B 36
Radstock. Bath —1B 16
Radyr. Card —1A 4
Ragged Appleshaw. Hants —2A 20
Rake. W Sus —1B 32
Ram Alley. Wilts —3D 9
Rampisham. Dors —3A 26
Ramsbury. Wilts —2D 9
Ramsdean. Hants —1A 32
Ramsdell. Hants —1C 21
Ramsnest Common. Surr —3C 23
Rangeworthy. S Glo —1B 6
Ranmore Common. Surr —1D 23
Rapps. Som —2C 25
Ratley. Hants —1A 30
Rawridge. Devn —3B 24
Raymond's Hill. Devn —1C 35
Rayners Lane. G Lon —1D 13
Reading. Read —2A 12
Redcliff Bay. N Som —2D 5
Redford. W Sus —1B 32
Redhill. N Som —3D 5
Redland. Bris —2A 6
Redlynch. Som —3C 17
Redlynch. Wilts —1D 29
Redwick. Newp —1D 5
Redwick. S Glo —1A 6
Regil. N Som —3A 6
Remenham. Wok —1A 12
Remenham Hill. Wok —1A 12
Restrop. Wilts —1B 8
Rew Street. IOW —1B 40
Reybridge. Wilts —3A 8
Rhiwbina. Card —1A 4
Rhiwderin. Newp —1B 4
Rhoose. V Glam —3A 4
Rhydyfelin. Rhon —1A 4
Richings Park. Buck —2D 13
Rickford. N Som —1D 15
Ridge. Dors —2A 38
Ridge. Wilts —3A 18
Rimpton. Som —1B 26
Ringwood. Hants —3C 29
Ripley. Hants —1C 39
Ripley. Surr —1D 23
Riplington. Hants —1D 31
Risca. Cphy —1B 4
Riseley. Wok —3A 12
Rivar. Wilts —3A 10
River. W Sus —1C 33
Roath. Card —2A 4
Rock. W Sus —2D 33
Rockbourne. Hants —2C 29
Rockford. Hants —3C 29
Rockhampton. S Glo —1B 6
Rockley. Wilts —2C 9
Rockwell End. Buck —1A 12
Rockwell Green. Som —2A 24
Rodbourne. Wilts —1A 8
Rodden. Dors —2B 36
Rode. Som —1D 17
Rodney Stoke. Som —2D 15
Rodway. Som —2B 14
Rodwell. Dors —3B 36
Rogate. W Sus —1B 32
Rogerstone. Newp —1B 4
Rogiet. Mon —1D 5
Roke. Oxon —1D 11
Rokemarsh. Oxon —1D 11
Romford. Dors —3B 28
Romsey. Hants —1A 30
Rookley. IOW —2C 41
Rooks Bridge. Som —1C 15
Rooks Nest. Som —3A 14
Rookwood. W Sus —1A 42
Ropley. Hants —3D 21
Ropley Dean. Hants —3D 21
Rosemary Lane. Devn —2A 24
Rotherfield Greys. Oxon —1A 12
Rotherfield Peppard. Oxon —1A 12
Rotherwick. Hants —1A 22
Rotten Row. W Ber —2C 11
Roud. IOW —2C 41
Roundham. Som —3D 25
Roundhurst Common. W Sus —3C 23
Roundstreet Common. W Sus —1D 33
Roundway. Wilts —3B 8
Rousdon. Devn —1B 34
Row Ash. Hants —2C 31
Rowberrow. Som —1D 15
Rowde. Wilts —3A 8
Rowden Hill. Wilts —2A 8
Rowhook. W Sus —3D 23
Rowland's Castle. Hants —2A 32
Rowledge. Surr —2B 22
Rowly. Surr —2D 23
Rowner. Hants —3C 31
Rownhams. Hants —2A 30
Rowstock. Oxon —1B 10
Row Town. Surr —3D 13
Royston Water. Som —2B 24
Rudge. Wilts —1D 17
Rudgeway. S Glo —1B 6
Rudgwick. W Sus —3D 23
Rudloe. Wilts —2D 7
Rudry. Cphy —1A 4
Ruishton. Som —1B 24
Ruislip. G Lon —1D 13
Ruislip Common. G Lon —1D 13
Rumney. Card —2B 4
Rumwell. Som —1A 24
Runcton. W Sus —3B 32
Runfold. Surr —2B 22
Runnington. Som —1A 24
Ruscombe. Wok —2A 12
Rushall. Wilts —1C 19
Rushmoor. Surr —2B 22
Russell's Water. Oxon —1A 12
Rustington. W Sus —3D 33
Ryall. Dors —1D 35
Ryde. IOW —1C 41
Ryme Intrinseca. Dors —2A 26

S

St Andrews Major. V Glam —2A 4
St Bartholomew's Hill. Wilts —1A 28
St Bride's Netherwent. Mon —1D 5
St Bride's-super-Ely. V Glam —2A 4
St Brides Wentlooge. Newp —1B 4
St Catherine. Bath —2C 7
St Cross. Hants —1B 30
St Edith's Marsh. Wilts —3A 8
St Fagans. Card —2A 4
St George's. N Som —3C 5
St Georges. V Glam —2A 4
St Gile's Hill. Hants —1B 30
St Helens. IOW —2D 41
Saint Hill. Devn —3A 24
St Ives. Dors —3C 29
St Lawrence. IOW —3C 41
St Leonards. Dors —3C 29
St Lythans. V Glam —2A 4
St Margaret's. Wilts —3C 9
St Mary Bourne. Hants —1B 20
St Mellons. Card —1B 4
St Nicholas. V Glam —2A 4
Salcombe Regis. Devn —2A 34
Salisbury. Wilts —3C 19
Salterton. Wilts —3C 19
Saltford. Bath —3B 6
Saltmead. Card —2A 4
Salwayash. Dors —1D 35
Sambourne. Wilts —2D 17
Sampford Arundel. Som —2A 24
Sampford Brett. Som —2A 14
Sand. Som —2D 15
Sandbanks. Pool —2B 38
Sandford. Dors —2A 38
Sandford. Hants —3C 29
Sandford. IOW —2C 41
Sandford. N Som —1D 15
Sandford Orcas. Dors —1B 26
Sandhills. Dors —2B 26
Sandhills. Surr —3C 23
Sandhurst. Brac —3B 12
Sandleheath. Hants —2C 29
Sandown. IOW —2C 41
Sandridge. Wilts —3A 8
Sands, The. Surr —2B 22
Sandy Lane. Wilts —3A 8
Sarisbury. Hants —3C 31
Satwell. Oxon —1A 12
Sea. Som —2C 25
Seaborough. Dors —3D 25
Seale. Surr —2B 22
Sea Mills. Bris —2A 6
Seaton. Devn —1B 34
Seaton Junction. Devn —1B 34
Seatown. Dors —1D 35
Seaview. IOW —1D 41
Seavington St Mary. Som —2D 25
Seavington St Michael. Som —2D 25
Sedbury. Glos —1A 6
Sedgehill. Som —1D 27
Seend. Wilts —3A 8
Seend Cleeve. Wilts —3A 8
Seer Green. Buck —1C 13
Selborne. Hants —3A 22
Selham. W Sus —1C 33
Sells Green. Wilts —3A 8
Selsey. W Sus —1B 42
Semington. Wilts —3D 7
Semley. Wilts —1D 27
Send. Surr —1D 23
Send Marsh. Surr —1D 23
Senghenydd. Cphy —1A 4
Sennicotts. W Sus —3B 32
Setley. Hants —3A 30
Seven Ash. Som —3A 14
Sevenhampton. Swin —1D 9
Severn Beach. S Glo —1A 6
Shackleford. Surr —2C 23
Shaftesbury. Dors —1D 27
Shaggs. Dors —2D 37
Shalbourne. Wilts —3A 10
Shalcombe. IOW —2A 40
Shalden. Hants —2D 21
Shalfleet. IOW —2B 40
Shalford. Surr —2D 23
Shamley Green. Surr —2D 23
Shanklin. IOW —2C 41
Shapwick. Dors —3A 28
Shapwick. Som —3D 15
Sharcott. Wilts —1C 19
Sharnhill Green. Dors —3C 27
Shaw. W Ber —3B 10
Shaw. Wilts —3D 7
Shawford. Hants —1B 30
Shearston. Som —3B 14
Shedfield. Hants —2C 31
Sheepway. N Som —2D 5
Sheerwater. Surr —3D 13
Sheet. Hants —1A 32
Sheffield Bottom. W Ber —3D 11
Shefford Woodlands. W Ber —2A 10
Sheldon. Devn —3A 24
Shellingford. Oxon —1D 9
Shepherd's Green. Oxon —1A 12
Shepperton. Surr —3D 13
Shepton Beauchamp. Som —2D 25
Shepton Mallet. Som —2B 16
Shepton Montague. Som —3B 16
Sherborne. Bath —1A 16
Sherborne. Dors —2B 26
Sherborne Causeway. Dors —1D 27
Sherborne St John. Hants —1D 21
Shere. Surr —2D 23
Sherfield English. Hants —1D 29
Sherfield on Loddon. Hants —1D 21
Sherford. Dors —1A 38
Sherrington. Wilts —3A 18
Sherston. Wilts —1D 7
Shillingford. Oxon —1C 11
Shillingstone. Dors —2D 27
Shilvinghampton. Dors —2B 36
Shinfield. Wok —3A 12
Shipham. Som —1D 15
Shiplake. Oxon —2A 12
Shipley. W Sus —1D 33
Shipton Bellinger. Hants —2D 19
Shipton Gorge. Dors —1D 35
Shipton Green. W Sus —1B 42
Shipton Moyne. Glos —1D 7
Shirehampton. Bris —2A 6
Shirenewton. Mon —1D 5
Shirley. Sotn —2B 30
Shirrell Heath. Hants —2C 31
Sholing. Sotn —2B 30
Shoreditch. Som —1B 24
Shortwood. S Glo —2B 6
Shorwell. IOW —2B 40
Shoscombe. Bath —1C 17
Shottermill. Surr —3B 22
Shreding Green. Buck —1D 13
Shrewton. Wilts —2B 18
Shripney. W Sus —3C 33
Shrivenham. Oxon —1D 9
Shroton. Dors —2D 27
Shurlock Row. Wind —2B 12
Shurton. Som —2B 14
Shute. Devn —1B 34
Sid. Devn —2A 34
Sidbury. Devn —1A 34
Sidcot. N Som —1D 15
Sidford. Devn —1A 34
Sidlesham. W Sus —1B 42
Sidmouth. Devn —2A 34
Silchester. Hants —3D 11
Sindlesham. Wok —3A 12
Singleton. W Sus —2B 32
Sipson. G Lon —2D 13
Siston. S Glo —2B 6
Sixpenny Handley. Dors —2A 28
Skirmett. Buck —1A 12
Slade End. Oxon —1C 11
Slade, The. W Ber —3C 11
Slaughterford. Wilts —2D 7
Sleaford. Hants —3B 22
Slepe. Dors —1A 38
Slindon. W Sus —3C 33
Slinfold. W Sus —3D 23
Slough. Slo —2C 13
Slough Green. Som —1B 24
Smallridge. Devn —3C 25
Smannell. Hants —2A 20
Smeatharpe. Devn —2B 24
Smitham Hill. Bath —1A 16
Smithincott. Devn —2A 24
Soake. Hants —2D 31
Soberton. Hants —2D 31
Soberton Heath. Hants —2D 31
Soldridge. Hants —3D 21
Solent Breezes. Hants —3C 31
Somerford. Dors —1C 39
Somerley. W Sus —1B 42
Somerton. Som —1D 25
Sonning. Wok —2A 12
Sonning Common. Oxon —1A 12
Sopley. Hants —1C 39
Sopworth. Wilts —1D 7
Soundwell. S Glo —2B 6
Southall. G Lon —2D 13
South Ambersham. W Sus —1C 33
Southampton. Sotn —2B 30
Southampton Airport. Hants —2B 30
South Ascot. Wind —3C 13
South Baddesley. Hants —1A 40
South Barrow. Som —1B 26
South Bersted. W Sus —3C 33
Southbourne. Bour —1C 39
Southbourne. W Sus —3A 32
South Brewham. Som —3C 17
South Cadbury. Som —1B 26
South Chard. Som —3C 25
South Cheriton. Som —1B 26
Southcott. Wilts —1C 19
Southdown. Bath —3C 7

South End. *W Ber* —2C **11**
Southerton. *Devn* —1A **34**
South Fawley. *W Ber* —1A **10**
South Gorley. *Hants* —3C **29**
South Harting. *W Sus* —2A **32**
South Hayling. *Hants* —1A **42**
South Hill. *Som* —1D **25**
Southington. *Hants* —2C **21**
Southleigh. *Devn* —1B **34**
South Marston. *Swin* —1C **9**
South Moreton. *Oxon* —1C **11**
South Mundham. *W Sus* —3B **32**
South Newton. *Wilts* —3B **18**
South Oxhey. *Herts* —1D **13**
South Perrott. *Dors* —3D **25**
South Petherton. *Som* —2D **25**
Southrope. *Hants* —2D **21**
Southsea. *Port* —1D **41**
Southstoke. *Bath* —3C **7**
South Stoke. *Oxon* —1C **11**
South Stoke. *W Sus* —2D **33**
South Tidworth. *Wilts* —2D **19**
South Town. *Hants* —3D **21**
South Warnborough. *Hants* —2A **22**
Southwater. *W Sus* —1D **33**
Southway. *Som* —2A **16**
South Weirs. *Hants* —3D **29**
Southwell. *Dors* —3B **36**
Southwick. *Hants* —3D **31**
Southwick. *Wilts* —1D **17**
South Widcombe. *Bath* —1A **16**
South Wonston. *Hants* —3B **20**
Southwood. *Som* —3A **16**
South Wraxall. *Wilts* —3D **7**
Sparkford. *Som* —1B **26**
Sparsholt. *Hants* —3B **20**
Sparsholt. *Oxon* —1A **10**
Spaxton. *Som* —3B **14**
Spear Hill. *W Sus* —2D **33**
Speen. *W Ber* —3B **10**
Spencers Wood. *Wok* —3A **12**
Spetisbury. *Dors* —3A **28**
Spreakley. *Surr* —2B **22**
Spring Vale. *IOW* —1D **41**
Staines. *Surr* —2D **13**
Stakes. *Hants* —3D **31**
Stalbridge. *Dors* —2C **27**
Stalbridge Weston. *Dors* —2C **27**
Stallen. *Dors* —2B **26**
Stanbridge. *Dors* —3B **28**
Standerwick. *Som* —1D **17**
Standford. *Hants* —3B **22**
Standon. *Hants* —1B **30**
Stanford Dingley. *W Ber* —2C **11**
Stanford in the Vale. *Oxon* —1A **10**
Stanmore. *Hants* —1B **30**
Stanmore. *W Ber* —2B **10**
Stanton Drew. *Bath* —3A **6**
Stanton Fitzwarren. *Swin* —1C **9**
Stanton Prior. *Bath* —3B **6**
Stanton St Bernard. *Wilts* —3B **8**
Stanton St Quintin. *Wilts* —1A **8**
Stanton Wick. *Bath* —3B **6**
Stanwell. *Surr* —2D **13**
Stanwell Moor. *Surr* —2D **13**
Stapehill. *Dors* —3B **28**
Staple Fitzpaine. *Som* —2B **24**
Stapleford. *Wilts* —3B **18**
Staplegrove. *Som* —1B **24**
Staplehay. *Som* —1B **24**
Staple Hill. *S Glo* —2B **6**
Staplers. *IOW* —2C **41**
Stapleton. *Bris* —2B **6**
Stapleton. *Som* —1D **25**
Stapley. *Som* —2A **24**
Startley. *Wilts* —1A **8**
Stathe. *Som* —1C **25**
Staverton. *Wilts* —3D **7**
Stawell. *Som* —3C **15**
Stawley. *Som* —1A **24**
Steart. *Som* —2B **14**
Stedham. *W Sus* —1B **32**
Steep. *Hants* —1A **32**
Steeple. *Dors* —2A **38**
Steeple Ashton. *Wilts* —1A **18**
Steeple Langford. *Wilts* —3B **18**
Stembridge. *Som* —1D **25**
Stenhill. *Devn* —2A **24**
Stert. *Wilts* —1B **18**
Steventon. *Hants* —2C **21**
Steventon. *Oxon* —1B **10**
Stewley. *Som* —2C **25**
Stibb Green. *Wilts* —3D **9**
Sticklinch. *Som* —3A **16**
Stileway. *Som* —2D **15**
Stinsford. *Dors* —1C **37**
Stitchcombe. *Wilts* —3D **9**
Stoborough. *Dors* —2A **38**
Stockbridge. *Hants* —3A **20**
Stockcross. *W Ber* —3B **10**
Stockland. *Devn* —3B **24**
Stockland Bristol. *Som* —2B **14**
Stockley. *Wilts* —3B **8**
Stocklinch. *Som* —2C **25**
Stockton. *Wilts* —3A **18**
Stockwood. *Bris* —3B **6**
Stoford. *Som* —2A **26**
Stoford. *Wilts* —3B **18**
Stogumber. *Som* —3A **14**
Stogursey. *Som* —2B **14**
Stoke. *Hants* —1B **20**
(nr. Andover)
Stoke. *Hants* —3A **32**
(nr. South Hayling)
Stoke Abbott. *Dors* —3D **25**
Stoke Charity. *Hants* —3B **20**
Stoke D'Abernon. *Surr* —1D **23**
Stoke Farthing. *Wilts* —1B **28**
Stokeford. *Dors* —2D **37**
Stoke Gifford. *S Glo* —2B **6**
Stoke Poges. *Buck* —1C **13**
Stoke Row. *Oxon* —1D **11**
Stoke St Gregory. *Som* —1C **25**
Stoke St Mary. *Som* —1B **24**
Stoke St Michael. *Som* —2B **16**
Stoke sub Hamdon. *Som* —2D **25**
Stoke Trister. *Som* —1C **27**
Stolford. *Som* —2B **14**
Stone. *Som* —3A **16**
Stone Allerton. *Som* —1D **15**
Ston Easton. *Som* —1B **16**
Stonebridge. *N Som* —3C **5**
Stonebridge. *Som* —2C **17**
Stone-edge-Batch. *N Som* —2D **5**
Stoner Hill. *Hants* —1A **32**
Stoney Cross. *Hants* —2D **29**
Stoney Stoke. *Som* —3C **17**
Stoney Stratton. *Som* —3B **16**
Stonor. *Oxon* —1A **12**
Stopham. *W Sus* —2D **33**
Storrington. *W Sus* —2D **33**
Stoughton. *Surr* —1C **23**
Stoughton. *W Sus* —2B **32**
Stourpaine. *Dors* —3D **27**
Stour Provost. *Dors* —1C **27**
Stour Row. *Dors* —1D **27**
Stourton. *Wilts* —3C **17**
Stourton Caundle. *Dors* —2C **27**
Stowell. *Som* —1B **26**
Stowey. *Bath* —1A **16**
Stowford. *Devn* —2A **34**
Stradbrook. *Wilts* —1A **18**
Straight Soley. *Wilts* —2A **10**
Stratfield Mortimer. *W Ber* —3D **11**
Stratfield Saye. *Hants* —3D **11**
Stratfield Turgis. *Hants* —1D **21**
Stratford sub Castle. *Wilts* —3C **19**
Stratford Tony. *Wilts* —1B **28**
Stratton. *Dors* —1B **36**
Stratton-on-the-Fosse. *Som* —1B **16**
Stratton St Margaret. *Swin* —1C **9**
Stream. *Som* —3A **14**
Streatley. *W Ber* —1C **11**
Street. *Som* —3C **25**
(nr. Chard)
Street. *Som* —3D **15**
(nr. Glastonbury)
Street End. *W Sus* —1B **42**
Street on the Fosse. *Som* —3B **16**
Stretcholt. *Som* —2B **14**
Stringston. *Som* —2A **14**
Strood Green. *W Sus* —1D **33**
(nr. Billingshurst)
Strood Green. *W Sus* —3D **23**
(nr. Horsham)
Stroud. *Hants* —1A **32**
Stubbington. *Hants* —3C **31**
Stubhampton. *Dors* —2A **28**
Stuckton. *Hants* —2C **29**
Studland. *Dors* —2B **38**
Studley. *Wilts* —2A **8**
Sturminster Common. *Dors* —2C **27**
Sturminster Marshall. *Dors* —3A **28**
Sturminster Newton. *Dors* —2C **27**
Sudbrook. *Mon* —1A **6**
Sulham. *W Ber* —2D **11**
Sulhamstead. *W Ber* —3D **11**
Sullington. *W Sus* —2D **33**
Sully. *V Glam* —3A **4**
Summersdale. *W Sus* —3B **32**
Sunbury. *Surr* —3D **13**
Sunningdale. *Wind* —3C **13**
Sunninghill. *Wind* —3C **13**
Sunton. *Wilts* —1D **19**
Sutton. *Buck* —2D **13**
Sutton. *Som* —3B **16**
Sutton. *W Sus* —2C **33**
Sutton Abinger. *Surr* —2D **23**
Sutton Benger. *Wilts* —2A **8**
Sutton Bingham. *Som* —2A **26**
Sutton Courtenay. *Oxon* —1C **11**
Sutton Green. *Surr* —1D **23**
Sutton Mallet. *Som* —3C **15**
Sutton Mandeville. *Wilts* —1A **28**
Sutton Montis. *Som* —1B **26**
Sutton Poyntz. *Dors* —2C **37**
Sutton Scotney. *Hants* —3B **20**
Sutton Veny. *Wilts* —2A **18**
Sutton Waldron. *Dors* —2D **27**
Swainswick. *Bath* —3C **7**
Swallowcliffe. *Wilts* —1A **28**
Swallowfield. *Wok* —3A **12**
Swampton. *Hants* —1B **20**
Swanage. *Dors* —3B **38**
Swanbridge. *V Glam* —3A **4**
Swanmore. *Hants* —2C **31**
Swanwick. *Hants* —3C **31**
Swarraton. *Hants* —3C **21**
Sway. *Hants* —1D **39**
Swaythling. *Sotn* —2B **30**
Swell. *Som* —1C **25**
Swindon. *Swin* —1C **9**
Swineford. *S Glo* —3B **6**
Swyre. *Dors* —2A **36**
Sydenham. *Som* —3C **15**
Sydling St Nicholas. *Dors* —1B **36**
Sydmonton. *Hants* —1B **20**
Symondsbury. *Dors* —1D **35**

T

Tadley. *Hants* —3D **11**
Tadwick. *Bath* —2C **7**
Taff's Well. *Card* —1A **4**
Talaton. *Devn* —1A **34**
Talbot Green. *Rhon* —1A **4**
Taleford. *Devn* —1A **34**
Tangley. *Hants* —1A **20**
Tangmere. *W Sus* —3C **33**
Taplow. *Buck* —1C **13**
Tarnock. *Som* —1C **15**
Tarr. *Som* —3A **14**
Tarrant Crawford. *Dors* —3A **28**
Tarrant Gunville. *Dors* —2A **28**
Tarrant Hinton. *Dors* —2A **28**
Tarrant Keyneston. *Dors* —3A **28**
Tarrant Launceston. *Dors* —3A **28**
Tarrant Monkton. *Dors* —3A **28**
Tarrant Rawston. *Dors* —3A **28**
Tarrant Rushton. *Dors* —3A **28**
Tatling End. *Buck* —1D **13**
Tatworth. *Som* —3C **25**
Taunton. *Som* —1B **24**
Teffont Evias. *Wilts* —3A **18**
Teffont Magna. *Wilts* —3A **18**
Tellisford. *Som* —1D **17**
Temple Cloud. *Bath* —1B **16**
Templecombe. *Som* —1C **27**
Templeton. *W Ber* —3A **10**
Testwood. *Hants* —2A **30**
Tetbury. *Glos* —1A **8**
Thakeham. *W Sus* —2D **33**
Thatcham. *W Ber* —3C **11**
Theale. *Som* —2D **15**
Theale. *W Ber* —2D **11**
Thickwood. *Wilts* —2D **7**
Thorley Street. *IOW* —2A **40**
Thornbury. *S Glo* —1B **6**
Thorncombe. *Dors* —3C **25**
(nr. Beaminster)
Thorncombe. *Dors* —3D **27**
(nr. Blandford Forum)
Thorncombe Street. *Surr* —2C **23**
Thorne St Margaret. *Som* —1A **24**
Thorney. *Som* —1D **25**
Thorney Hill. *Hants* —1C **39**
Thornfalcon. *Som* —1B **24**
Thornford. *Dors* —2B **26**
Thorngrove. *Som* —3C **15**
Thornhill. *Cphy* —1A **4**
Thornhill. *Sotn* —2B **30**
Thorpe. *Surr* —3D **13**
Three Legged Cross. *Dors* —3B **28**
Three Mile Cross. *Wok* —3A **12**
Thruxton. *Hants* —2D **19**
Thurloxton. *Som* —3B **14**
Thursley. *Surr* —3C **23**
Tichborne. *Hants* —3C **21**
Tickenham. *N Som* —2D **5**
Tidcombe. *Wilts* —1D **19**
Tiddleywink. *Wilts* —2D **7**
Tidmarsh. *W Ber* —2D **11**
Tidpit. *Hants* —2B **28**
Tidworth. *Wilts* —2D **19**
Tidworth. *Wilts* —2D **19**
Tidworth Camp. *Wilts* —2D **19**
Tilehurst. *Read* —2D **11**
Tilford. *Surr* —2B **22**
Tillington. *W Sus* —1C **33**
Tilshead. *Wilts* —2B **18**
Timsbury. *Bath* —1B **16**
Timsbury. *Hants* —1A **30**
Tincleton. *Dors* —1C **37**
Tintinhull. *Som* —2A **26**
Tiptoe. *Hants* —1D **39**
Tipton St John. *Devn* —1A **34**
Tisbury. *Wilts* —1A **28**
Tisman's Common. *W Sus* —3D **23**
Titchfield. *Hants* —3C **31**
Tockenham. *Wilts* —2B **8**
Tockenham Wick. *Wilts* —1B **8**
Tockington. *S Glo* —1B **6**
Todber. *Dors* —1D **27**
Tokers Green. *Oxon* —2A **12**
Tolland. *Som* —3A **14**
Tollard Farnham. *Dors* —2A **28**
Tollard Royal. *Wilts* —2A **28**
Toller Fratrum. *Dors* —1A **36**
Toller Porcorum. *Dors* —1A **36**
Toller Whelme. *Dors* —3A **26**
Tolpuddle. *Dors* —1C **37**
Tonedale. *Som* —1A **24**
Tongham. *Surr* —2B **22**
Tongwynlais. *Card* —1A **4**
Toot Hill. *Hants* —2A **30**
Tormarton. *S Glo* —2C **7**
Tortington. *W Sus* —3D **33**
Tortworth. *S Glo* —1C **7**
Totland. *IOW* —2A **40**
Totnell. *Dors* —3B **26**
Totton. *Hants* —2A **30**
Touchenend. *Wind* —2B **12**
Touches. *Som* —3C **25**
Tower Hill. *W Sus* —1D **33**
Towns End. *Hants* —1C **21**
Trash Green. *W Ber* —3D **11**
Trecenydd. *Cphy* —1A **4**
Tredogan. *V Glam* —3A **4**
Treforest. *Rhon* —1A **4**
Trehafod. *Rhon* —1A **4**
Tremorfa. *Card* —2B **4**
Trent. *Dors* —2A **26**
Tresham. *Glos* —1C **7**
Tresimwn. *V Glam* —2A **4**
Trethomas. *Cphy* —1A **4**
Treyford. *W Sus* —2B **32**
Trickett's Cross. *Dors* —3B **28**
Trotton. *W Sus* —1B **32**
Trowbridge. *Wilts* —1D **17**
Trowle Common. *Wilts* —1D **17**
Trudoxhill. *Som* —2C **17**
Trull. *Som* —1B **24**
Trumps Green. *Surr* —3C **13**
Tuckton. *Bour* —1C **39**
Tuesley. *Surr* —2C **23**
Tufton. *Hants* —2B **20**
Tunley. *Bath* —1B **16**
Tunworth. *Hants* —2D **21**
Turfmoor. *Devn* —3B **24**
Turgis Green. *Hants* —1D **21**
Turkey Island. *Hants* —2C **31**
Turleigh. *Wilts* —3D **7**
Turlin Moor. *Dors* —1A **38**
Turners Puddle. *Dors* —1D **37**
Turnworth. *Dors* —3D **27**
Turville. *Buck* —1A **12**
Turville Heath. *Buck* —1A **12**
Tutts Clump. *W Ber* —2C **11**
Twerton. *Bath* —3C **7**
Twickenham. *G Lon* —2D **13**
Twinhoe. *Bath* —1C **17**
Twyford. *Dors* —2D **27**
Twyford. *Hants* —1B **30**
Twyford. *Wok* —2A **12**
Tye. *Hants* —3A **32**
Tyneham. *Dors* —2D **37**
Tytherington. *Som* —2C **17**
Tytherington. *S Glo* —1B **6**

Tytherington. *Wilts* —2A **18**
Tytherleigh. *Devn* —3C **25**

U

Ubley. *Bath* —1A **16**
Uffcott. *Swin* —2C **9**
Uffculme. *Devn* —2A **24**
Uffington. *Oxon* —1A **10**
Ufton Nervet. *W Ber* —3D **11**
Ugford. *Wilts* —3B **18**
Ulwell. *Dors* —2B **38**
Undy. *Mon* —1D **5**
Upavon. *Wilts* —1C **19**
Up Cerne. *Dors* —3B **26**
Upham. *Hants* —1C **31**
Uphill. *N Som* —1C **15**
Uploders. *Dors* —1A **36**
Uplyme. *Devn* —1C **35**
Up Marden. *W Sus* —2A **32**
Up Nately. *Hants* —1D **21**
Upottery. *Devn* —3B **24**
Upper Basildon. *W Ber* —2C **11**
Upper Bucklebury. *W Ber* —3C **11**
Upper Bullington. *Hants* —2B **20**
Upper Burgate. *Hants* —2C **29**
Upper Canterton. *Hants* —2D **29**
Upper Cheddon. *Som* —1B **24**
Upper Chicksgrove. *Wilts* —1A **28**
Upper Church Village. *Rhon* —1A **4**
Upper Chute. *Wilts* —1D **19**
Upper Clatford. *Hants* —2A **20**
Upper Common. *Hants* —2D **21**
Upper Enham. *Hants* —2A **20**
Upper Farringdon. *Hants* —3A **22**
Upper Froyle. *Hants* —2A **22**
Upper Godney. *Som* —2D **15**
Upper Green. *W Ber* —3A **10**
Upper Hale. *Surr* —2B **22**
Upper Halliford. *Surr* —3D **13**
Upper Kilcott. *S Glo* —1C **7**
Upper Lambourn. *W Ber* —1A **10**
Upper Langford. *N Som* —1D **15**
Upper Minety. *Wilts* —1B **8**
Upper Norwood. *W Sus* —2C **33**
Upper Nyland. *Dors* —1C **27**
Upper Pennington. *Hants* —1A **40**
Upper Seagry. *Wilts* —1A **8**
Upper Street. *Hants* —2C **29**
Upper Studley. *Wilts* —1D **17**
Upperton. *W Sus* —1C **33**
Upper Town. *N Som* —3A **6**
Upper Upham. *Wilts* —2D **9**
Upper Wield. *Hants* —3D **21**
Upper Woodford. *Wilts* —3C **19**
Upper Wootton. *Hants* —1C **21**
Upper Wraxall. *Wilts* —2D **7**
Up Somborne. *Hants* —3A **20**
Up Sydling. *Dors* —3B **26**
Upton. *Devn* —3A **24**
Upton. *Dors* —1A **38**
(nr. Poole)
Upton. *Dors* —2C **37**
(nr. Weymouth)
Upton. *Hants* —1A **20**
(nr. Andover)
Upton. *Hants* —2A **30**
(nr. Southampton)
Upton. *IOW* —1C **41**
Upton. *Oxon* —1C **11**
Upton. *Slo* —2C **13**
Upton. *Som* —1D **25**
Upton. *Wilts* —3D **17**
Upton Cheyney. *S Glo* —3B **6**
Upton Grey. *Hants* —2D **21**
Upton Lovell. *Wilts* —2A **18**
Upton Noble. *Som* —3C **17**
Upton Scudamore. *Wilts* —2D **17**
Upwaltham. *W Sus* —2C **33**
Upwey. *Dors* —2B **36**
Urchfont. *Wilts* —1B **18**
Uxbridge. *G Lon* —1D **13**

V

Valley End. *Surr* —3C **13**
Vellow. *Som* —3A **14**
Venn Ottery. *Devn* —1A **34**
Ventnor. *IOW* —3C **41**
Vernham Dean. *Hants* —1A **20**
Vernham Street. *Hants* —1A **20**
Verwood. *Dors* —3B **28**
Vicarage. *Devn* —2B **34**
Virginia Water. *Surr* —3C **13**
Vobster. *Som* —2C **17**
Vole. *Som* —2C **15**

W

Wadeford. *Som* —2C **25**
Wadswick. *Wilts* —3D **7**
Wadwick. *Hants* —1B **20**
Walberton. *W Sus* —3C **33**
Walcombe. *Som* —2A **16**
Walcot. *Swin* —1C **9**
Walderton. *W Sus* —2A **32**
Walditch. *Dors* —1D **35**
Walhampton. *Hants* —1A **40**
Walkford. *Dors* —1D **39**
Wallingford. *Oxon* —1D **11**
Wallington. *Hants* —3C **31**
Wallisdown. *Pool* —1B **38**
Walliswood. *Surr* —3D **23**
Walterston. *V Glam* —2A **4**
Waltham Chase. *Hants* —2C **31**
Waltham St Lawrence. *Wind* —2B **12**
Walton. *Som* —3D **15**
Walton Elm. *Dors* —2C **27**
Walton-in-Gordano. *N Som* —2D **5**
Walton-on-Thames. *Surr* —3D **13**
Wambrook. *Som* —3B **24**
Wanborough. *Surr* —2C **23**
Wanborough. *Swin* —1D **9**
Wanstrow. *Som* —2C **17**
Wantage. *Oxon* —1A **10**
Wapley. *S Glo* —2C **7**
Warblington. *Hants* —3A **32**
Wardley. *W Sus* —1B **32**
Wareham. *Dors* —2A **38**
Warfield. *Brac* —2B **12**
Wargrave. *Wok* —2A **12**
Warminghurst. *W Sus* —2D **33**
Warminster. *Wilts* —2D **17**
Warmley. *S Glo* —2B **6**
Warmwell. *Dors* —2C **37**
Warnford. *Hants* —1D **31**
Warningcamp. *W Sus* —3D **33**
Warren Corner. *Hants* —2B **22**
(nr. Aldershot)
Warren Corner. *Hants* —1A **32**
(nr. Petersfield)
Warren Row. *Wind* —1B **12**
Warsash. *Hants* —3B **30**
Wash Common. *W Ber* —3B **10**
Washford. *Som* —2A **14**
Washington. *W Sus* —2D **33**
Watchet. *Som* —2A **14**
Watchfield. *Oxon* —1D **9**
Waterbeach. *W Sus* —3B **32**
Waterditch. *Hants* —1C **39**
Waterlip. *Som* —2B **16**
Waterloo. *Cphy* —1A **4**
Waterloo. *Pool* —1B **38**
Waterlooville. *Hants* —3D **31**
Waterrow. *Som* —1A **24**
Watersfield. *W Sus* —2D **33**
Watton. *Dors* —1D **35**
Wattsville. *Cphy* —1B **4**
Waverley. *Surr* —2B **22**
Wayford. *Som* —3D **25**
Waytown. *Dors* —1D **35**
Weare. *Som* —1D **15**
Wearne. *Som* —1D **25**
Wedhampton. *Wilts* —1B **18**
Wedmore. *Som* —2D **15**
Weeke. *Hants* —3B **20**
Welford. *W Ber* —2B **10**
Well. *Hants* —2A **22**
Well Bottom. *Dors* —2A **28**
Wellhouse. *W Ber* —2C **11**
Wellington. *Som* —1A **24**
Wellow. *Bath* —1C **17**
Wellow. *IOW* —2A **40**
Wells. *Som* —2A **16**
Welton. *Bath* —1B **16**
Wembdon. *Som* —3B **14**
Wenvoe. *V Glam* —2A **4**
Wepham. *W Sus* —3D **33**
West Amesbury. *Wilts* —2C **19**
West Ashling. *W Sus* —3B **32**
West Ashton. *Wilts* —1D **17**
West Bagborough. *Som* —3A **14**
West Bay. *Dors* —1D **35**
West Bexington. *Dors* —2A **36**
Westbourne. *Bour* —1B **38**
Westbourne. *W Sus* —3A **32**
West Bradley. *Som* —3A **16**
Westbrook. *Wilts* —3A **8**
West Buckland. *Som* —1A **24**
West Burton. *W Sus* —2C **33**
Westbury. *Wilts* —1D **17**
Westbury Leigh. *Wilts* —2D **17**
Westbury on Trym. *Bris* —2A **6**
Westbury-sub-Mendip. *Som* —2A **16**
West Byfleet. *Surr* —3D **13**
West Camel. *Som* —1A **26**
West Chaldon. *Dors* —2C **37**
West Challow. *Oxon* —1A **10**
West Chelborough. *Dors* —3A **26**
West Chiltington. *W Sus* —2D **33**
West Chiltington Common. *W Sus* —2D **33**
West Chinnock. *Som* —2D **25**
West Chisenbury. *Wilts* —1C **19**
West Clandon. *Surr* —1D **23**
Westcliff. *IOW* —3C **41**
West Coker. *Dors* —2A **26**
Westcombe. *Som* —3B **16**
(nr. Evercreech)
Westcombe. *Som* —1D **25**
(nr. Somerton)
West Compton. *Dors* —1A **36**
West Compton. *Som* —2A **16**
Westcot. *Oxon* —1A **10**
Westcott. *Surr* —2D **23**
West Cranmore. *Som* —2B **16**
West Dean. *W Sus* —2B **32**
West Dean. *Wilts* —1D **29**
West Drayton. *G Lon* —2D **13**
West End. *Dors* —3A **28**
West End. *Hants* —2B **30**
West End. *N Som* —3D **5**
West End. *S Glo* —1C **7**
West End. *Surr* —3C **13**
West End. *Wilts* —1A **28**
West End. *Wind* —2B **12**
West End Green. *Hants* —3D **11**
Westergate. *W Sus* —3C **33**
Westerleigh. *S Glo* —2B **6**
Westerton. *W Sus* —3B **32**
Westfields. *Dors* —3C **27**
West Ginge. *Oxon* —1B **10**
West Grafton. *Wilts* —3D **9**
West Green. *Hants* —1A **22**
West Grimstead. *Wilts* —1D **29**
West Hagbourne. *Oxon* —1C **11**
Westham. *Dors* —3B **36**
Westham. *Som* —2D **15**
Westhampnett. *W Sus* —3B **32**
West Hanney. *Oxon* —1B **10**
West Harnham. *Wilts* —1C **29**
West Harptree. *Bath* —1A **16**
West Harting. *W Sus* —1A **32**
West Hatch. *Som* —1B **24**
Westhay. *Som* —2D **15**
West Heath. *Hants* —1C **21**
(nr. Basingstoke)
West Heath. *Hants* —1B **22**
(nr. Farnborough)
West Hendred. *Oxon* —1B **10**
West Hewish. *N Som* —3C **5**
West Hill. *Devn* —1A **34**
West Hill. *N Som* —2D **5**
West Holme. *Dors* —2D **37**
West Horrington. *Som* —2A **16**
West Horsley. *Surr* —1D **23**
West Howe. *Bour* —1B **38**
West Huntspill. *Som* —2C **15**
West Hyde. *Herts* —1D **13**
West Ilsley. *W Ber* —1B **10**
West Itchenor. *W Sus* —3A **32**
West Kennett. *Wilts* —3C **9**
West Kington. *Wilts* —2D **7**
West Knighton. *Dors* —2C **37**
West Knoyle. *Wilts* —3D **17**
West Lambrook. *Som* —2D **25**
West Lavington. *W Sus* —1B **32**
West Lavington. *Wilts* —1B **18**
Westleigh. *Devn* —2A **24**
West Littleton. *S Glo* —2C **7**
West Lulworth. *Dors* —2D **37**
West Lydford. *Som* —3A **16**
West Marden. *W Sus* —2A **32**
West Meon. *Hants* —1D **31**
West Milton. *Dors* —1A **36**
West Molesey. *Surr* —3D **13**
West Monkton. *Som* —1B **24**
West Moors. *Dors* —3B **28**
West Morden. *Dors* —1A **38**
Weston. *Bath* —3C **7**
Weston. *Devn* —2A **34**
Weston. *Dors* —3B **36**
Weston. *Hants* —1A **32**
Weston. *W Ber* —2A **10**
Weston Bampfylde. *Som* —1B **26**
Westonbirt. *Glos* —1D **7**
Weston-in-Gordano. *N Som* —2D **5**
Weston Patrick. *Hants* —2D **21**
Weston-super-Mare. *N Som* —3C **5**
Weston Town. *Som* —2C **17**
Westonzoyland. *Som* —3C **15**
West Orchard. *Dors* —2D **27**
West Overton. *Wilts* —3C **9**
West Parley. *Dors* —1B **38**
West Pennard. *Som* —3A **16**
Westport. *Som* —1C **25**
West Quantoxhead. *Som* —2A **14**
Westra. *V Glam* —2A **4**
West Stafford. *Dors* —2C **37**
West Stoke. *W Sus* —3B **32**
West Stoughton. *Som* —2D **15**
West Stour. *Dors* —1C **27**
West Stowell. *Wilts* —3C **9**
West Stratton. *Hants* —2C **21**
West Thorney. *W Sus* —3A **32**
West Tisted. *Hants* —1D **31**
West Town. *Bath* —3A **6**
West Town. *Hants* —1A **42**
West Town. *N Som* —3D **5**
West Tytherley. *Hants* —1D **29**
West Tytherton. *Wilts* —2A **8**
West Wellow. *Hants* —2D **29**
West Wick. *N Som* —3C **5**
West Winterslow. *Wilts* —3D **19**
West Wittering. *W Sus* —1A **42**
Westwood. *Wilts* —1D **17**
West Woodhay. *W Ber* —3A **10**
West Woodlands. *Som* —2C **17**
West Worldham. *Hants* —3A **22**
West Worthing. *W Sus* —3D **33**
West Yatton. *Wilts* —2D **7**
Wexcombe. *Wilts* —1D **19**
Wexham Street. *Buck* —1C **13**
Weybourne. *Surr* —2B **22**
Weybridge. *Surr* —3D **13**
Weycroft. *Devn* —1C **35**
Weyhill. *Hants* —2A **20**
Weymouth. *Dors* —3B **36**
Whaddon. *Wilts* —1C **29**
Whatley. *Som* —3C **25**
(nr. Chard)
Whatley. *Som* —2C **17**
(nr. Frome)
Wheatley. *Hants* —2A **22**
Wheelerstreet. *Surr* —2C **23**
Wherwell. *Hants* —2A **20**
Whimple. *Devn* —1A **34**
Whippingham. *IOW* —1C **41**
Whistley Green. *Wok* —2A **12**
Whitchurch. *Bath* —3B **6**
Whitchurch. *Card* —2A **4**
Whitchurch. *Hants* —2B **20**
Whitchurch Canonicorum. *Dors* —1C **35**
Whitchurch Hill. *Oxon* —2D **11**
Whitchurch-on-Thames. *Oxon* —2D **11**
Whitcombe. *Dors* —2C **37**
Whitefield. *Dors* —1A **38**
Whitefield. *Som* —1A **24**
Whitehall. *Devn* —2A **24**
Whitehall. *Hants* —1A **22**
Whitehall. *W Sus* —1D **33**
Whitehill. *Hants* —3A **22**
White Lackington. *Dors* —1C **37**
Whitelackington. *Som* —2C **25**
Whiteley. *Hants* —3C **31**
Whiteley Bank. *IOW* —2C **41**
Whiteley Village. *Surr* —3D **13**
Whitenap. *Hants* —1A **30**
Whiteparish. *Wilts* —1D **29**
Whitestaunton. *Som* —2B **24**
White Waltham. *Wind* —2B **12**
Whitfield. *S Glo* —1B **6**
Whitford. *Devn* —1B **34**
Whitley. *Wilts* —3D **7**
Whitmore. *Dors* —3B **28**
Whitsbury. *Hants* —2C **29**
Whitson. *Newp* —1C **5**
Whittonditch. *Wilts* —2D **9**
Whitway. *Hants* —1B **20**
Whitwell. *IOW* —3C **41**
Wick. *Bour* —1C **39**
Wick. *Som* —2B **14**
(nr. Bridgwater)
Wick. *Som* —1C **15**
(nr. Burnham-on-Sea)
Wick. *Som* —1D **25**
(nr. Somerton)

Wick. *S Glo* —2C **7**
Wick. *W Sus* —3D **33**
Wick. *Wilts* —1C **29**
Wickham. *Hants* —2C **31**
Wickham. *W Ber* —2A **10**
Wickham Heath. *W Ber* —3B **10**
Wick Hill. *Wok* —3A **12**
Wick St Lawrence. *N Som* —3C **5**
Wickwar. *S Glo* —1C **7**
Widham. *Wilts* —1B **8**
Widworthy. *Devn* —1B **34**
Wigbeth. *Dors* —3B **28**
Wiggaton. *Devn* —1A **34**
Wiggonholt. *W Sus* —2D **33**
Wigley. *Hants* —2A **30**
Wilcot. *Wilts* —3C **9**
Wildern. *Hants* —2B **30**
Wildhern. *Hants* —1A **20**
Willand. *Devn* —2A **24**
Willesley. *Wilts* —1D **7**
Willett. *Som* —3A **14**
Willey Green. *Surr* —1C **23**
Williton. *Som* —2A **14**
Willsbridge. *S Glo* —2B **6**
Wilmington. *Bath* —3B **6**
Wilmington. *Devn* —3B **24**
Wilsford. *Wilts* —3C **19**
(nr. Amesbury)
Wilsford. *Wilts* —1C **19**
(nr. Devizes)
Wilton. *Wilts* —3D **9**
(nr. Marlborough)
Wilton. *Wilts* —3B **18**
(nr. Salisbury)
Wimborne Minster. *Dors* —3B **28**
Wimborne St Giles. *Dors* —2B **28**
Wincanton. *Som* —1C **27**
Winchester. *Hants* —1B **30**
Winchfield. *Hants* —1A **22**
Windlesham. *Surr* —3C **13**
Windmill Hill. *Som* —2C **25**
Windsor. *Wind* —2C **13**
Winford. *IOW* —2C **41**
Winford. *N Som* —3A **6**
Winfrith Newburgh. *Dors* —2D **37**
Wingfield. *Wilts* —1D **17**
Winkfield. *Brac* —2C **13**
Winkfield Row. *Brac* —2B **12**
Winklebury. *Hants* —1D **21**
Winkton. *Dors* —1C **39**
Winnersh. *Wok* —2A **12**
Winscombe. *N Som* —1D **15**
Winsham. *Som* —3C **25**
Winslade. *Hants* —2D **21**
Winsley. *Wilts* —3D **7**
Winsor. *Hants* —2A **30**
Winterborne Clenston. *Dors* —3D **27**
Winterborne Herringston. *Dors* —2B **36**
Winterborne Houghton. *Dors* —3D **27**
Winterborne Kingston. *Dors* —1D **37**
Winterborne Monkton. *Dors* —2B **36**
Winterborne Stickland. *Dors* —3D **27**
Winterborne St Martin. *Dors* —2B **36**
Winterborne Whitechurch. *Dors* —3D **27**
Winterborne Zelston. *Dors* —1A **38**
Winterbourne. *S Glo* —1B **6**
Winterbourne. *W Ber* —2B **10**
Winterbourne Abbas. *Dors* —1B **36**
Winterbourne Bassett. *Wilts* —2C **9**
Winterbourne Dauntsey. *Wilts* —3C **19**
Winterbourne Earls. *Wilts* —3C **19**
Winterbourne Gunner. *Wilts* —3C **19**
Winterbourne Monkton. *Wilts* —2B **8**
Winterbourne Steepleton. *Dors* —2B **36**
Winterbourne Stoke. *Wilts* —2B **18**
Winterbrook. *Oxon* —1D **11**
Winton. *Bour* —1B **38**
Wisborough Green. *W Sus* —1D **33**
Wisley. *Surr* —1D **23**
Wiston. *W Sus* —2D **33**
Witchampton. *Dors* —3A **28**
Witham Friary. *Som* —2C **17**
Witheridge Hill. *Oxon* —1D **11**
Witley. *Surr* —2C **23**
Wiveliscombe. *Som* —1A **24**
Wivelrod. *Hants* —3D **21**
Woking. *Surr* —1D **23**
Wokingham. *Wok* —3B **12**
Wolverton. *Hants* —1C **21**
Wolverton. *Wilts* —3C **17**
Wolverton Common. *Hants* —1C **21**
Wonersh. *Surr* —2D **23**
Wonston. *Hants* —3B **20**
Wooburn. *Buck* —1C **13**
Wooburn Green. *Buck* —1C **13**
Woodborough. *Wilts* —1C **19**
Woodbridge. *Devn* —1A **34**
Woodbridge. *Dors* —2C **27**
Woodcote. *Oxon* —1D **11**
Woodcott. *Hants* —1B **20**
Woodcutts. *Dors* —2A **28**
Woodend. *W Sus* —3B **32**
Woodfalls. *Wilts* —1C **29**
Woodgate. *W Sus* —3C **33**
Woodgreen. *Hants* —2C **29**
Woodham. *Surr* —3D **13**
Woodhill. *N Som* —2D **5**
Woodlands. *Dors* —3B **28**
Woodlands. *Hants* —2A **30**
Woodlands Park. *Wind* —2B **12**
Woodlands St Mary. *W Ber* —2A **10**
Woodley. *Wok* —2A **12**
Woodmancote. *W Sus* —3A **32**
Woodmancott. *Hants* —2C **21**
Woodmansgreen. *W Sus* —1B **32**
Woodminton. *Wilts* —1B **28**
Woodrow. *Dors* —3C **27**
Woodsend. *Wilts* —2D **9**
Woodsford. *Dors* —1C **37**
Woodshaw. *Wilts* —1B **8**
Woodside. *Brac* —2C **13**
Wood Street Village. *Surr* —1C **23**
Woodyates. *Dors* —2B **28**
Wookey. *Som* —2A **16**
Wookey Hole. *Som* —2A **16**
Wool. *Dors* —2D **37**
Woolavington. *Som* —2C **15**
Woolbeding. *W Sus* —1B **32**
Woolgarston. *Dors* —2A **38**
Woolhampton. *W Ber* —3C **11**
Woolland. *Dors* —3C **27**
Woollard. *Bath* —3B **6**
Woolley. *Bath* —3C **7**
Woolley Green. *Wilts* —3D **7**
Woolminstone. *Som* —3D **25**
Woolston. *Som* —1B **26**
Woolston. *Sotn* —2B **30**
Woolstone. *Oxon* —1D **9**
Woolton Hill. *Hants* —3B **10**
Woolverton. *Som* —1C **17**
Wootton. *Hants* —1D **39**
Wootton. *IOW* —1C **41**
Wootton Bassett. *Wilts* —1B **8**
Wootton Bridge. *IOW* —1C **41**
Wootton Common. *IOW* —1C **41**
Wootton Fitzpaine. *Dors* —1C **35**
Wootton Rivers. *Wilts* —3C **9**
Wootton St Lawrence. *Hants* —1C **21**
Worlds End. *Hants* —2D **31**
World's End. *W Ber* —2B **10**
Worle. *N Som* —3C **5**
Worminster. *Som* —2A **16**
Wormley. *Surr* —3C **23**
Worplesdon. *Surr* —1C **23**
Worthing. *W Sus* —3D **33**
Worth Matravers. *Dors* —3A **38**
Worting. *Hants* —1D **21**
Wortley. *Glos* —1C **7**
Worton. *Wilts* —1A **18**
Wotton. *Surr* —2D **23**
Wotton-under-Edge. *Glos* —1C **7**
Wrangway. *Som* —2A **24**
Wrantage. *Som* —1C **25**
Wraxall. *Dors* —3A **26**
Wraxall. *N Som* —2D **5**
Wraxall. *Som* —3B **16**
Wraysbury. *Wind* —2D **13**
Wrecclesham. *Surr* —2B **22**
Wrington. *N Som* —3D **5**
Wroughton. *Swin* —1C **9**
Wroxall. *IOW* —3C **41**
Wyck. *Hants* —3A **22**
Wycombe Marsh. *Buck* —1B **12**
Wyfold Grange. *Oxon* —1D **11**
Wyke. *Dors* —1C **27**
Wyke. *Surr* —1C **23**
Wyke Champflower. *Som* —3B **16**
Wyke Regis. *Dors* —3B **36**
Wylye. *Wilts* —3B **18**
Wymering. *Port* —3D **31**
Wynford Eagle. *Dors* —1A **36**

Y

Yafford. *IOW* —2B **40**
Yanley. *N Som* —3A **6**
Yapton. *W Sus* —3C **33**
Yarcombe. *Devn* —3B **24**
Yarde. *Som* —3A **14**
Yarley. *Som* —2A **16**
Yarlington. *Som* —1B **26**
Yarmouth. *IOW* —2A **40**
Yarnbrook. *Wilts* —1D **17**
Yarrow. *Som* —2C **15**
Yate. *S Glo* —1C **7**
Yateley. *Hants* —3B **12**
Yatesbury. *Wilts* —2B **8**
Yattendon. *W Ber* —2C **11**
Yatton. *N Som* —3D **5**
Yatton Keynell. *Wilts* —2D **7**
Yaverland. *IOW* —2D **41**
Yawl. *Devn* —1C **35**
Yeading. *G Lon* —1D **13**
Yenston. *Som* —1C **27**
Yeovil. *Som* —2A **26**
Yeovil Marsh. *Som* —2A **26**
Yeovilton. *Som* —1A **26**
Yetminster. *Dors* —2A **26**
Yettington. *Devn* —2A **34**
Yiewsley. *G Lon* —1D **13**
Ynysddu. *Cphy* —1A **4**
Ynys y Barri. *V Glam* —3A **4**
Ynysy]maerdy. *Rhon* —1A **4**
Y Rhws. *V Glam* —3A **4**
Ystrad Mynach. *Cphy* —1A **4**

Z

Zeals. *Wilts* —3C **17**

CITY & TOWN CENTRE PLANS

Bath	55	Portsmouth	57	Taunton	59
Bournemouth	55	Reading	58	Winchester	59
Bristol	56	Salisbury	58	Windsor	59
Cardiff	56	Southampton	58	London Heathrow Airport	60
Guildford	57	Swindon	59	Poole Port Plan	60

Reference to Town Plans

MOTORWAY — M1
MOTORWAY UNDER CONSTRUCTION
MOTORWAY PROPOSED
MOTORWAY JUNCTIONS WITH NUMBERS — 4 5
Unlimited Interchange 4
Limited Interchange 5
PRIMARY ROUTE — A41
DUAL CARRIAGEWAY
CLASS A ROAD — A129
CLASS B ROAD — B177
MAJOR ROAD UNDER CONSTRUCTION
MAJOR ROAD PROPOSED
MINOR ROAD
RESTRICTED ACCESS
PEDESTRIAN ROAD & MAIN FOOTWAY
ONE WAY STREET
TOLL — TOLL
RAILWAY AND B.R. STATION
UNDERGROUND, D.L.R. & METRO STATION — DLR
LEVEL CROSSING AND TUNNEL
TRAM STOP AND ONE WAY TRAM STOP
BUILT UP AREA
ABBEY, CATHEDRAL, PRIORY ETC.

BUS STATION
CAR PARK (Selection of) — P
CHURCH
CITY WALL
FERRY (Vehicular)
(Foot only)
GOLF COURSE — 9 18
HELIPORT
HOSPITAL — H
INFORMATION CENTRE — i
LIGHTHOUSE
MARKET
NATIONAL TRUST PROPERTY (Open) — NT
(Restricted opening) — NT
(National Trust of Scotland) — NTS NTS
PARK & RIDE — P+
PLACE OF INTEREST
POLICE STATION
POST OFFICE
SHOPPING AREA (Main street and precinct)
SHOPMOBILITY
TOILET
VIEWPOINT

BATH

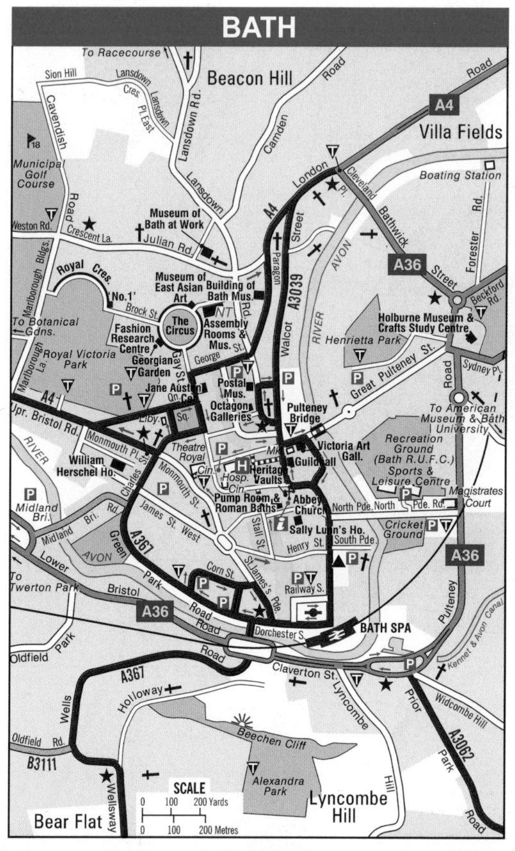

BOURNEMOUTH

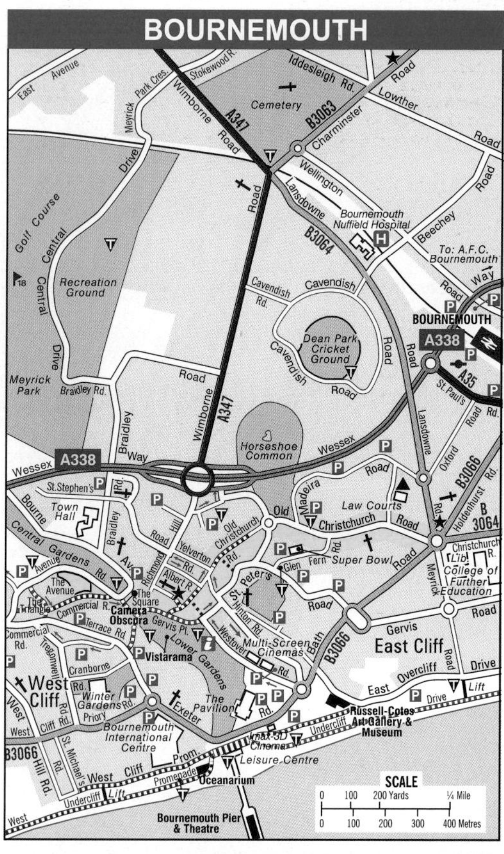

BRISTOL

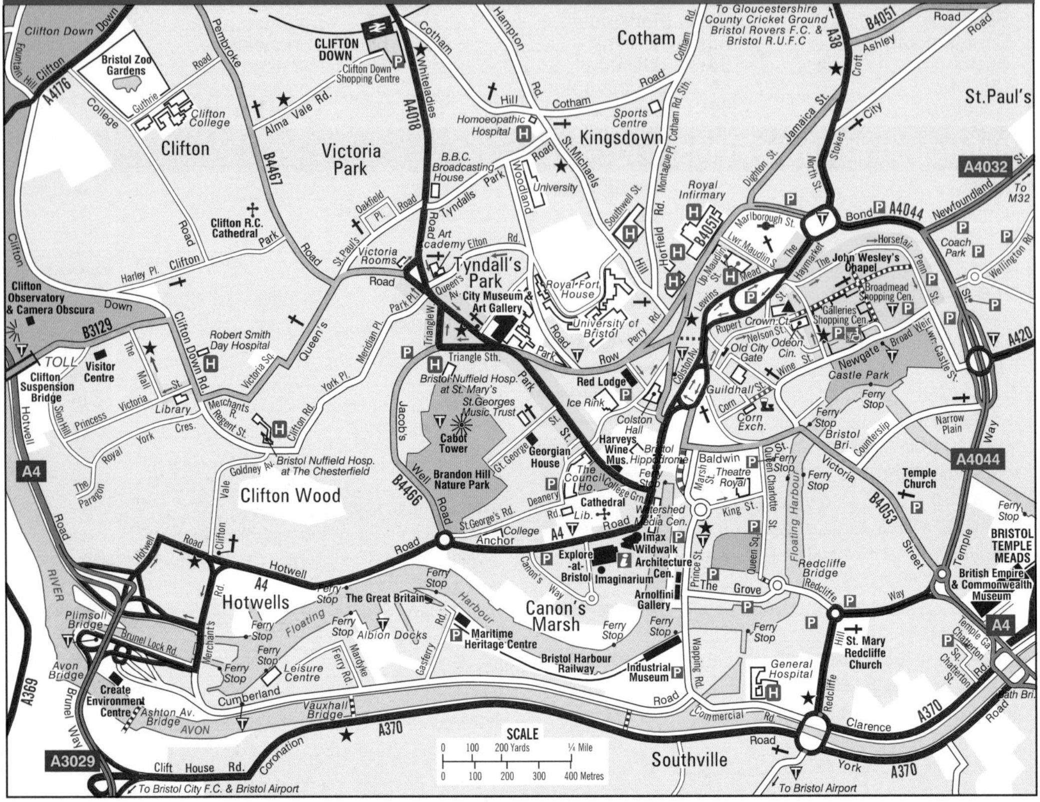

To Gloucestershire County Cricket Ground Bristol Rovers F.C. & Bristol R.U.F.C

Clifton Down

CLIFTON DOWN

Clifton Down Shopping Centre

Bristol Zoo Gardens

Clifton College

Clifton

Victoria Park

Cotham

Kingsdown

St.Paul's

Homoeopathic Hospital

B.B.C. Broadcasting House

University

Sports Centre

Royal Infirmary

Clifton R.C. Cathedral

Victoria Rooms

Art Academy

Tyndall's Park

City Museum & Art Gallery

Royal Fort House

University of Bristol

John Wesley's Chapel

Broadmead Shopping Cen.

Galleries Shopping Cen.

Coach Park

Clifton Observatory & Camera Obscura

Robert Smith Day Hospital

Visitor Centre

Clifton Suspension Bridge

TOLL

Library

Bristol Nuffield Hosp. at St.Mary's

St.Georges Music Trust

Cabot Tower

Brandon Hill Nature Park

Georgian House

Red Lodge

Ice Rink

Colston Hall

Harveys Wine Mus.

Hippodrome

Old City Gate

Odeon Cin.

Guildhall

Corn Exch.

Castle Park

Ferry Stop

Bristol Bri.

Narrow Plain

Temple Church

Bristol Nuffield Hosp. at The Chesterfield

Clifton Wood

The Council Ho.

Cathedral

Cathedral Lib.

College Anchor

Watershed Media Cen.

Imax

Wildwalk

Architecture Cen.

Explore-at-Bristol

Imaginarium

Arnolfini Gallery

Theatre Royal

BRISTOL TEMPLE MEADS

British Empire & Commonwealth Museum

Redcliffe Bridge

Hotwells

The Great Britain

Canon's Marsh

Albion Docks

Maritime Heritage Centre

Bristol Harbour Railway

Industrial Museum

St. Mary Redcliffe Church

General Hospital

Plimsoll Bridge

Brunel Lock Rd.

Avon Bridge

Create Environment Centre

Leisure Centre

Ashton Av. Bridge

Vauxhall Bridge

RIVER AVON

Floating Harbour

Southville

To Bristol City F.C. & Bristol Airport

To Bristol Airport

To M32

SCALE
0 100 200 Yards ¼ Mile
0 100 200 300 400 Metres

CARDIFF (CAERDYDD)

To Maindy Stadium & Heath Hospital

Pontcanna Fields

To Museum of Welsh Life & Llandaff Cathedral

Pontcanna

Glamorgan County Cricket Ground

Welsh Institute of Sport

BUTE PARK

University Lib.

Cardiff University

National Assembly for Wales

CATHAYS

Mosque

Sherman Theatre

University

Welsh College of Music & Drama

Cooper's Fields

Cathays Park

National Museum and Gallery

Law Courts

City Hall

Sophia Gardens

Canton

Mosque

Chapter Arts Centre

Bute Park Nature Trail

Cardiff Castle

New Theatre

Queenswest Centre

De Morgan Foundation Museum

Regimental Museums

Capitol

CARDIFF QUEEN ST.

H.M.P. Cardiff

University

Sikh Temp.

Syn.

Magistrates Court

R.C. Cathedral

St. David's Cen.

St. David's Hall

Cardiff R.U.F.C.

Riverside

Cen. for Visual Arts

Cinema

Cardiff International Arena

Wales National Ice Rink

Welsh National Opera

Cardiff Millennium Stadium

World Rugby Museum

Millennium Plaza

NINIAN PARK

CARDIFF CENTRAL

Cardiff Athletics Stadium (Leckwith Stadium)

Cardiff City F.C.

Coronation Park

Grangetown

Atlantic Wharf

Cardiff City Farm

Sevenoaks Park

County Hall

To: National Assembly for Wales, Pierhead, Techniquest & Inner Harbour

SCALE
0 100 200 Yards ¼ Mile
0 100 200 300 400 Metres

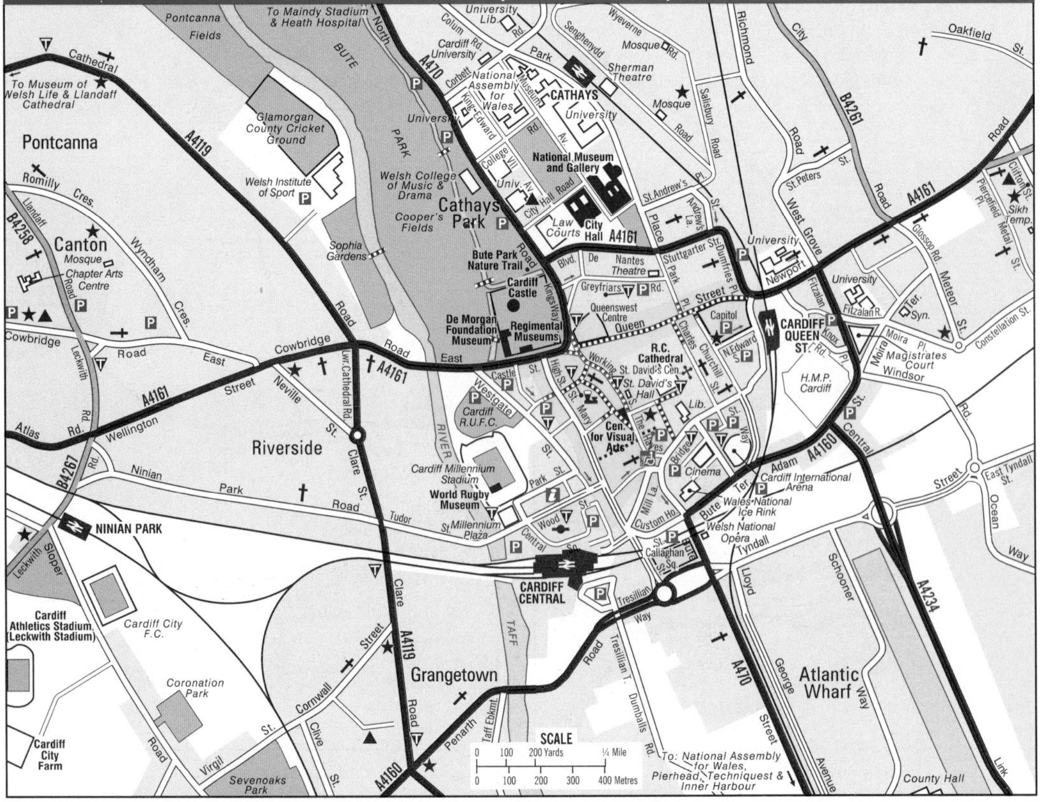

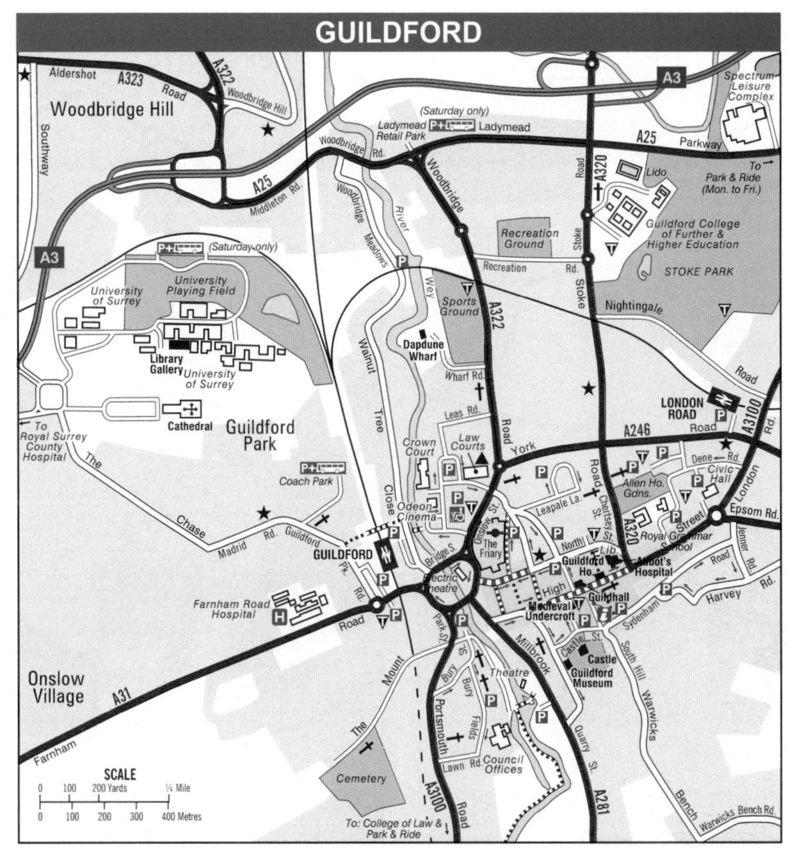
GUILDFORD
Aldershot
A323
Road
A322
Woodbridge Hill
Woodbridge Hill
Southway
A3
(Saturday only)
Ladymead
Retail Park
Ladymead
A25
Parkway
Spectrum
Leisure
Complex
To
Park & Ride
(Mon. to Fri.)
Woodbridge
Rd.
Woodbridge
Middleton Rd.
Woodbridge Meadows
River
Wey
Lido
A320
Road
Stoke
Guildford College
of Further &
Higher Education
STOKE PARK
Recreation
Ground
Recreation
Rd.
Nightingale
Road
(Saturday only)
University
of Surrey
University
Playing Field
Library
Gallery
University
of Surrey
Sports
Ground
A322
Dapdune
Wharf
Wharf Rd.
Walnut
Tree
Close
Cathedral
Guildford
Park
To
Royal Surrey
County
Hospital
The
Chase
Coach Park
Madrid
Rd.
Guildford
Pk.
Rd.
GUILDFORD
Leas Rd.
Crown
Court
Law
Courts
Road
York
A246
Road
LONDON
ROAD
A3100
Rd.
Dene Rd.
Civic
Hall
London
Epsom Rd.
Odeon
Cinema
Onslow St.
The
Friary
Bridge St.
Leapale La.
Chertsey St.
Allen Ho.
Gdns.
North
Lib.
Street
Royal Grammar
School
Guildford
Ho.
Abbot's
Hospital
Road
Jenner Rd.
Electric
Theatre
High
Guildhall
Medieval
Undercroft
Sydenham
Harvey
Rd.
Farnham Road
Hospital
Road
Park St.
Bury St.
Bury
Fields
Millbrook
Castle St.
Castle
Guildford
Museum
South Hill
Warwicks
Theatre
Onslow
Village
A31
Farnham
The
Mount
Portsmouth
Cemetery
Lawn Rd.
Council
Offices
Quarry St.
A281
Bench
Warwicks Bench Rd.
A3100
Road
To: College of Law &
Park & Ride
SCALE
0 100 200 Yards ¼ Mile
0 100 200 300 400 Metres

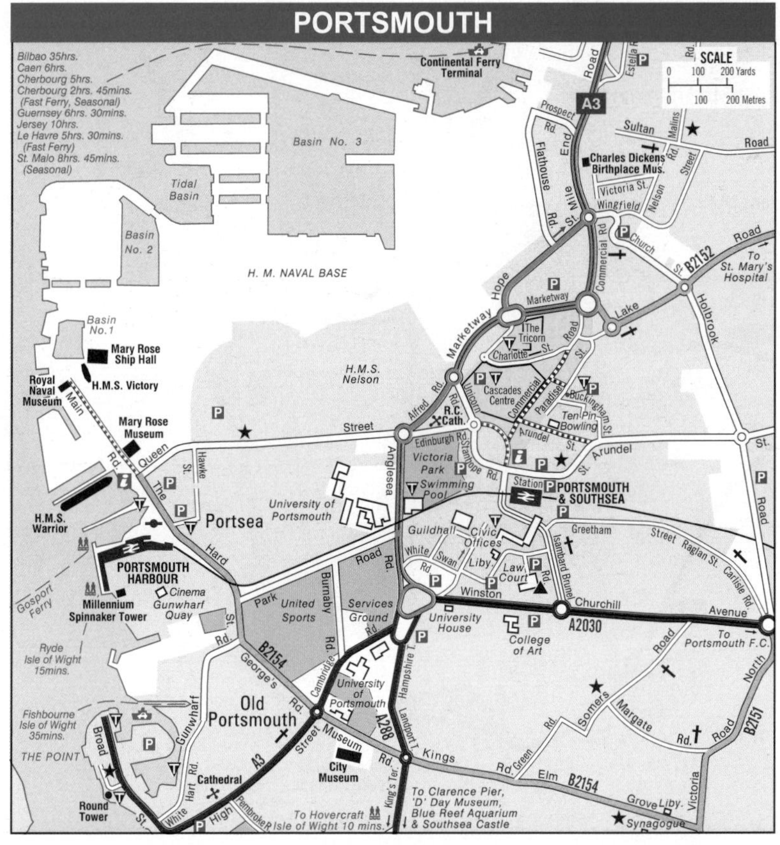
PORTSMOUTH
Bilbao 35hrs.
Caen 6hrs.
Cherbourg 5hrs.
Cherbourg 2hrs. 45mins.
(Fast Ferry, Seasonal)
Guernsey 6hrs. 30mins.
Jersey 10hrs.
Le Havre 5hrs. 30mins.
(Fast Ferry)
St. Malo 8hrs. 45mins.
(Seasonal)
Continental Ferry
Terminal
Road
Estella Rd.
SCALE
0 100 200 Yards
0 100 200 Metres
A3
Prospect Rd.
Sultan
Malins Rd.
Road
Basin No. 3
Flathouse Rd.
Mile End
Charles Dickens
Birthplace Mus.
Nelson Street
Victoria St.
Wingfield
Tidal
Basin
Basin
No. 2
St.
Commercial Rd.
Church
B2152
Road
To
St. Mary's
Hospital
H. M. NAVAL BASE
Hope
Marketway
Marketway
The
Tricorn
Road
Lake
Holbrook
Basin
No.1
Mary Rose
Ship Hall
Charlotte St.
St.
H.M.S.
Nelson
Royal
Naval
Museum
H.M.S. Victory
Main
Alfred Rd.
Unicorn Rd.
Cascades
Centre
Commercial
Paradise
Buckingham St.
R.C.
Cath.
Ten Pin
Bowling
Mary Rose
Museum
Street
Arundel
St.
Arundel
St.
Queen
Rd.
Hawke St.
Edinburgh Rd.
Victoria
Park
Stanhope Rd.
Swimming
Pool
Station
PORTSMOUTH
& SOUTHSEA
The Hard
Anglesea
University of
Portsmouth
Portsea
H.M.S.
Warrior
Guildhall
Civic
Offices
Greetham
Street
Raglan St.
Carlisle Rd.
Road
PORTSMOUTH
HARBOUR
White Swan Rd.
Liby.
Law
Court
Isambard Brunel Rd.
Cinema
Gunwharf
Quay
Park
United
Sports
Burnaby Rd.
Road
Services
Ground
Winston
Churchill
Avenue
Gosport
Ferry
Millennium
Spinnaker Tower
St.
Rd.
University
House
College
of Art
A2030
To
Portsmouth F.C.
Ryde
Isle of Wight
15mins.
B2154
George's Rd.
Cambridge
University
of
Portsmouth
Hampshire T.
Road
Somers
North
Road
B2151
Fishbourne
Isle of Wight
35mins.
Broad
THE POINT
Gunwharf
Old
Portsmouth
A3
Street
Museum
Rd.
A288
Landport T.
Rd.
Margate
Rd.
Kings
Rd.
Green
Elm
B2154
White
Hart Rd.
Cathedral
City
Museum
Round
Tower
St.
High
Pembroke
To Hovercraft
Isle of Wight 10 mins.
King's Ter.
To Clarence Pier,
'D' Day Museum,
Blue Reef Aquarium
& Southsea Castle
Grove
Liby.
Victoria
Synagogue

READING

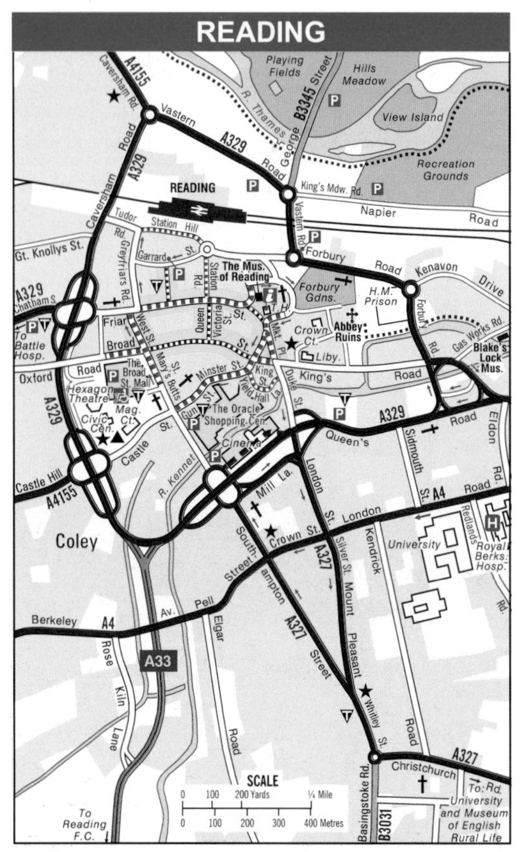

SALISBURY

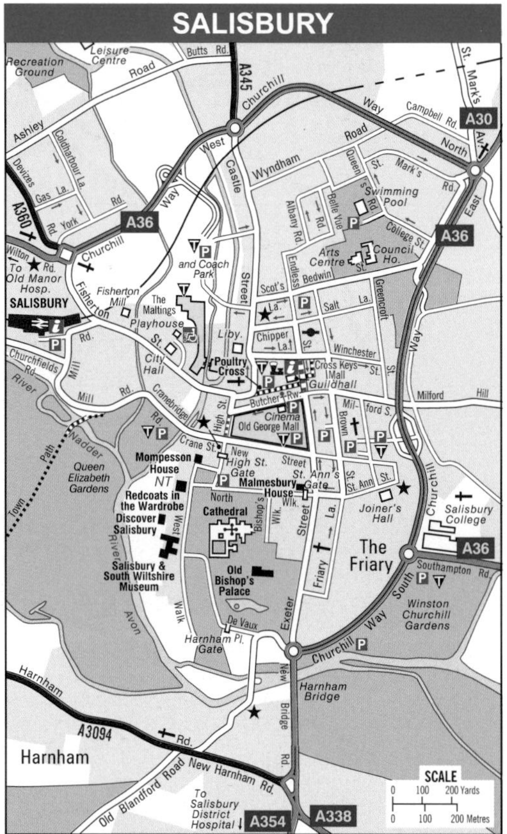

SOUTHAMPTON

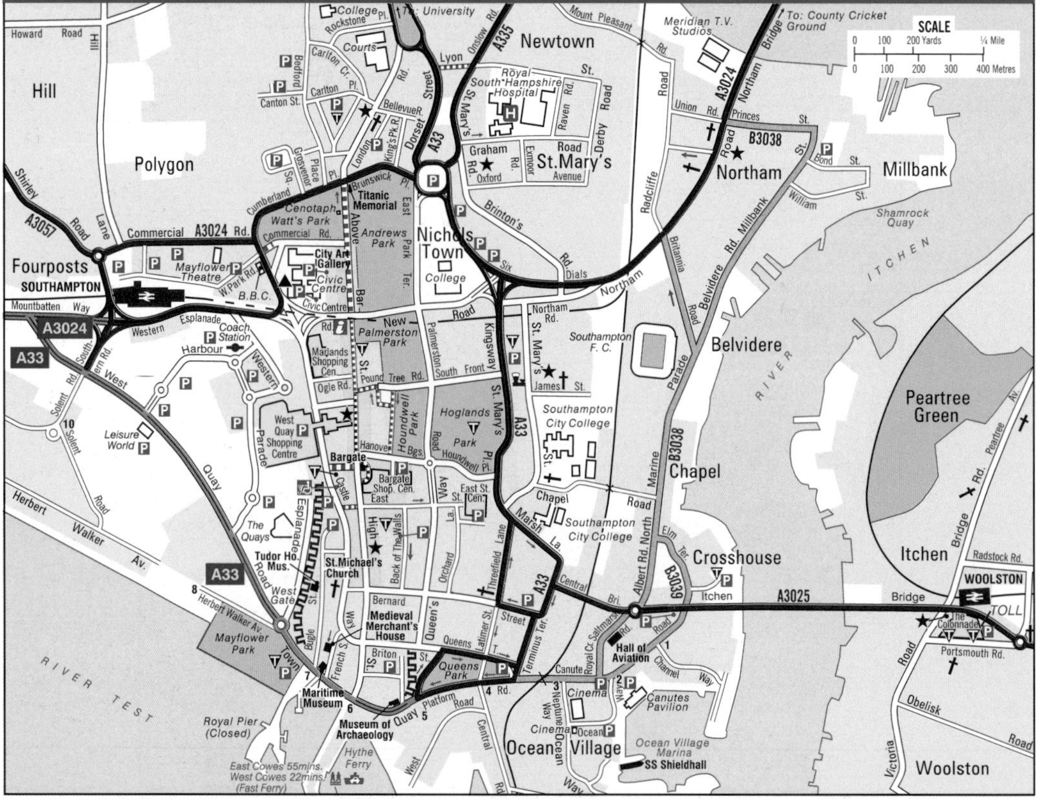

Howard Road Hill
Hill
Polygon
College Pl.
Rockstone
To: University
Mount Pleasant
Meridian T.V. Studios
To: County Cricket Ground
Courts
Newtown
Royal South Hampshire Hospital
St. Mary's
Lyon
Onslow Rd.
A335
Dorset Street
Carlton Cr.
Bedford Pl.
Canton St.
Carlton Pl.
Bellevue Rd.
London Rd.
King's Pk. Rd.
Raven Rd.
Derby Road
Graham Rd.
Road
Exmoor Rd.
Oxford
St.Mary's
Avenue
Union Rd.
Princes St.
B3038
Northam
Millbank
Bond St.
William St.
Shirley Road
A3057
Lane
Cumberland Pl.
Grosvenor Sq.
Brunswick Pl.
Titanic Memorial
Cenotaph
Watt's Park
Commercial Rd.
Commercial A3024 Rd.
Andrews Park
East Park Ter.
Nichols Town
College
Brinton's Rd.
Six Dials
Northam
Radcliffe
Britannia Road
Belvidere Rd.
Millbank
Shamrock Quay
ITCHEN
A3024
Northam Bridge
Fourposts
SOUTHAMPTON
Mayflower Theatre
W. Park Rd.
City Art Gallery
Civic Centre
B.B.C.
Mountbatten Way
A3024
Western Esplanade
Coach Station
Harbour
A33
New Road
Palmerston Park
Palmerston Rd.
Kingsway
Northam Rd.
St. Mary's St.
Southampton F.C.
Belvidere
RIVER
Marlands Shopping Cen.
Pound Tree Rd.
South Front
St. James St.
Ogle Rd.
Solent Rd.
10
West Quay Rd.
Leisure World
West Quay Shopping Centre
Hoglands Park
Houndwell Park
A33
Southampton City College
Peartree Green
Peartree Av.
Bargate
Bargate Shop. Cen.
East St.
East St. Cen.
Hanover Bgs.
Houndwell Pl.
Way
Parade
Marine Parade
B3038
Chapel
Chapel Road
Herbert Walker Av.
Road
Quay
The Quays
Esplanade
Castle Way
High St.
Back of The Walls
Orchard
Threefield Lane
Marsh La.
Southampton City College
Crosshouse
Itchen
Radstock Rd.
Tudor Ho. Mus.
St.Michael's Church
A33
Central Bri.
Albert Rd. North
Elm Ter.
B3039
Itchen
A3025
Bridge
WOOLSTON
TOLL
8
Herbert Walker Av.
West Gate
Bugle St.
Bernard St.
Medieval Merchant's House
Queen's Way
Latimer St.
Street
Canute Rd.
Royal Cr. Rd.
Saltmarsh Rd.
Hall of Aviation
1
Mayflower Park
Town Quay
French St.
West
Briton St.
Queens Park
Terminus Ter.
The Colonnade
Portsmouth Rd.
RIVER TEST
7
Maritime Museum
6
Museum of Archaeology
Platform Road
5
4 Rd.
3
2
Channel Way
Canutes Pavilion
Obelisk Road
Royal Pier (Closed)
Central
Ocean Way
Neptune Way
Cinema
Ocean
Ocean Village
Ocean Village Marina
SS Shieldhall
Hythe Ferry
East Cowes 55mins. West Cowes 22mins. (Fast Ferry)
West
Way
Victoria Road
Woolston
SCALE
0 100 200 Yards ¼ Mile
0 100 200 300 400 Metres

SWINDON

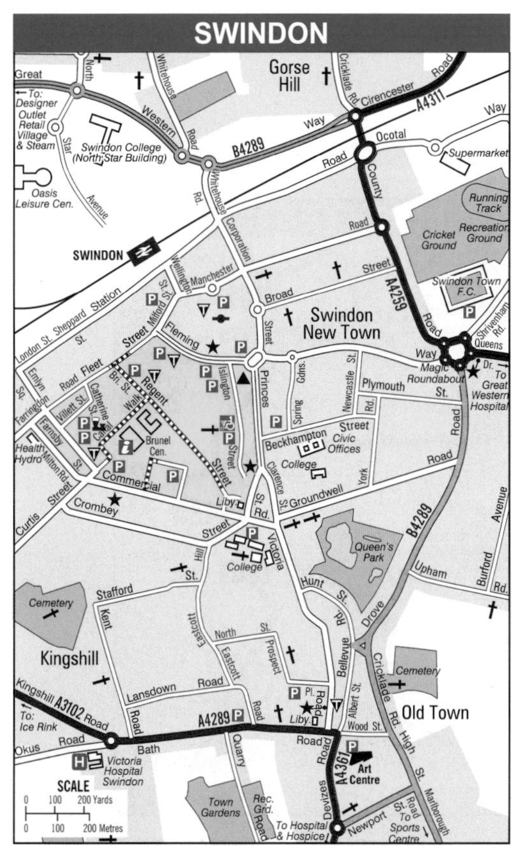

TAUNTON

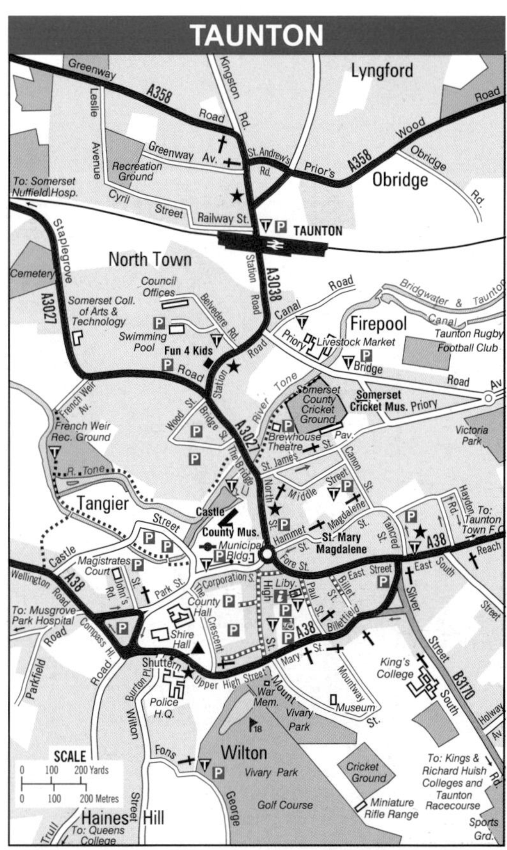

WINCHESTER

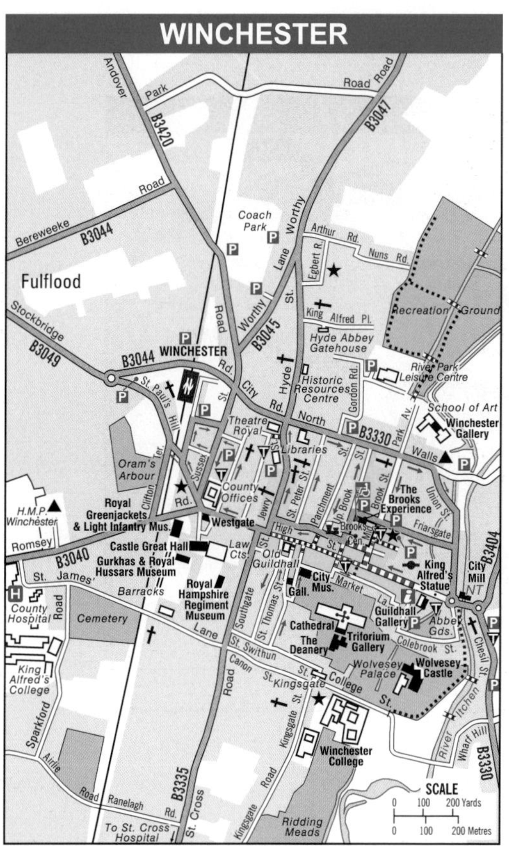

WINDSOR

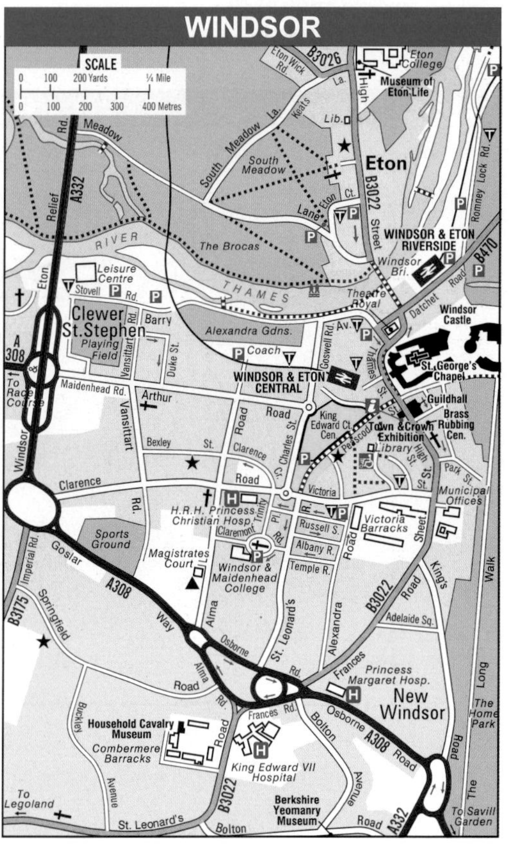

LONDON HEATHROW

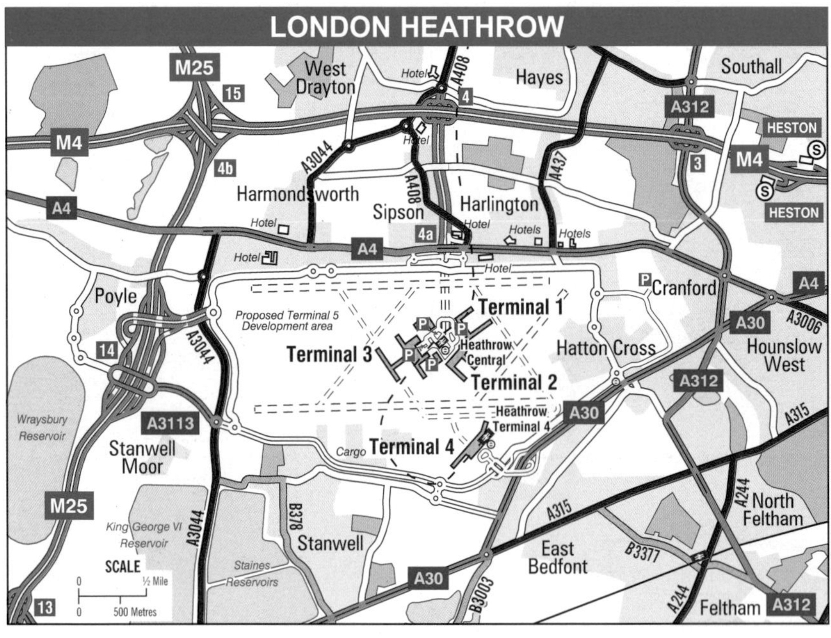

POOLE

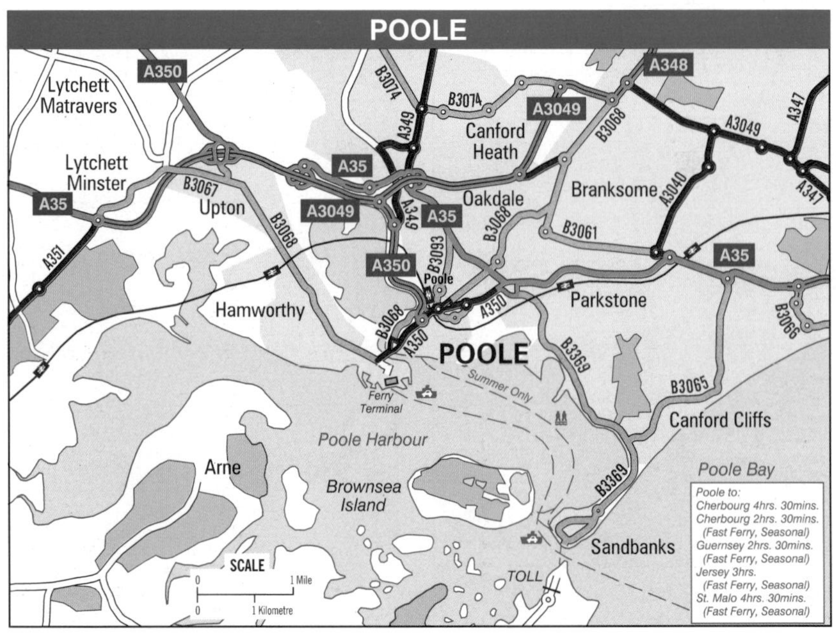